Creemos y celebramos

Primera Comunión

El Comité Ad Hoc para Supervisar el Uso del Catecismo, de la Conferencia de Obispos Católicos de los Estados Unidos, consideró que este texto, copyright 2007, está en conformidad con el *Catecismo de la Iglesia Católica*; y podrá ser usado únicamente como complementaria otros textos base catequéticos.

The Ad Hoc Committee to Oversee the Use of the Catechism, United States Conference of Catholic Bishops, has found this text, copyright 2007, to be in conformity with the *Catechism of the Catholic Church*; it may be used only as supplemental to other basal catechetical texts.

Sadlier

División de William H. Sadlier, Inc.

Acknowledgments

Excerpts from the English translation of *The Roman Missal*, © 2010, International Committee on English in the Liturgy, Inc. All rights reserved.

Scripture excerpts are taken from the *New American Bible with Revised New Testament and Psalms*. Copyright © 1991, 1986, 1970, Confraternity of Christian Doctrine, Inc. Washington, D.C. Used with permission. All rights reserved. No portion of the *New American Bible* may be reprinted without permission in writing from the copyright holder.

Excerpts from the English translation of *Rite of Baptism for Children* © 1969, ICEL. All rights reserved.

Excerpts from *Catholic Household Blessings and Prayers* Copyright © 1988, United States Catholic Conference, Inc. Washington, D.C. Used with permission. All rights reserved.

English translation of the *Kyrie, Gloria in Excelsis, Agnus Dei,* Nicene Creed, Apostles' Creed, and Lord's Prayer by the International Consultation on English Texts (ICET).

Excerpts from *La Biblia católica para jóvenes*. Copyright © 2005, Instituto Fe y Vida y Editorial Verbo Divino. Used with permission.

Excerpts from *Ritual Conjunto de los sacramentos*. Copyright © Departamento de Liturgia del CELAM. 1976.

"We Believe, We Believe in God," © 1979, North American Liturgy Resources (NALR), 5536 NE Hassalo, Portland, OR 97213. All rights reserved. Used with permission. "We Celebrate with Joy," © 2000, Carey Landry. Published by OCP Publications, 5536 NE Hassalo, Portland, OR 97213. All rights reserved. Used with permission. "Take the Word of God with You," text © 1991, James Harrison. Music © 1991, Christopher Walker. Text and music published by OCP Publications. All rights reserved. Used with permission. "We Remember You," © 1999, Bernadette Farrell. Published by OCP Publications. All rights reserved. Used with permission. "Jesus, You Are Bread for Us," © 1988, Christopher Walker. Published by OCP Publications. All rights reserved. Used with permission. "A su altar el Señor nos llamó", "Yo quisiera escuchar", "Tan cerca de mí" y "La misa no termina". © San Pablo. "Por qué nos invitas" © 1989, OCP publications.

William H. Sadlier, Inc.
9 Pine Street
New York, NY 10005-4700

ISBN: 978-0-8215-5747-1
8 9 10 11 WEBC 21 20

Nihil Obstat

✠ Most Reverend Robert C. Morlino

Imprimatur

✠ Most Reverend Robert C. Morlino
Bishop of Madison
September 4, 2006

The *Nihil Obstat* and *Imprimatur* are official declarations that a book or pamphlet is free of doctrinal or moral error. No implication is contained therein that those who have granted the *Nihil Obstat* and *Imprimatur* agree with the contents, opinions, or statements expressed.

Photo Credits

Cover Title Page: Neal Farris.
Interior: Jane Bernard 16, 18, 114, 117 *top*, 117 *bottom*, 118 *top*, 118 *bottom*. Karen Callaway: 20, 35, 80, 115, 117 *center*, 118 *center*. Crosiers/ Gene Plaisted, OSC: 52 *top*. Dreamtime: 74, 75. Neal Farris: 7, 17, 21, 24, 25, 33, 34, 37, 40, 41, 50, 51, 56, 57, 64, 66, 68, 69, 72, 73, 81, 82, 83, 84, 85, 88, 89, 96, 100, 101, 104, 105, 106, 107, 108, 109, 113, 119, 120, 121 *top*, 121 *bottom*, 122 *top*, 122 *bottom*, 123, 124, 125, 126, 127 *top*, 127 *bottom*, 128 *top*, 128 *bottom*. Ken Karp: 6, 87 *bottom left*.

Getty Images/ Digital Vision/ Ivano Confalone: 26–27, Peter Haigh: 90–91; The Image Bank/ Gallo Images – Hein von Horsten: 74–75 back; Michael Melford: 42–43; Photographer's Choice/ Adam Jones: 58–59.

Punchstock/ Creatas: 10. Shutterstock/ CMH Photography: 10–11. Veer: 26, 42, 58, 74, 90. Bill Wittman: 52 bottom, 53, 121 *center*, 122 *center*.

Illustrator Credits

Tom Barrett: 97–99. Teresa Berassi: 80, 127 *bottom*, 128 *bottom*. Mary Bono: 60, 61 *top*, 71, 92. Mircea Catusanu: 12 *bottom*, 13, 56, 60 *top*, 65 *bottom*. W. B. Johnston: 6, 7, 16, 18, 19, 20, 21, 35, 36, 38, 48, 50, 51, 67, 68, 72, 73, 83, 84, 90, 100, 101, 102, 103, 108, 109, 111, 112, 116. Dave Jonason: 61 *bottom*. Dean MacAdam: 24, 25, 44, 45, 88, 89, 121 *bottom*, 122 *bottom*. Diana Magnuson: 14–15, 30–31, 46–47, 62–63, 79, 94–95, 112, 117, 118, 119, 120, 121, 122, 123, 124, 125, 126, 127, 128. Judith Moffatt: 22, 23, 55 *top*. Gary Phillips: 8–9. Jackie Snider: 12 *top*, 28, 29, 40, 41, 54, 55 *bottom*, 76, 77, 93, 110. Ann Wilson: 199 *top*. Jessica Wolk-Stanley: 32, 116 *top*, 121 *center*, 122 *center*. Michael Woo: Mass punchouts.

El programa de Sadlier, *Creemos y celebramos* fue desarrollado por la comunidad de fe por medios de sus representantes con experiencia en liturgia, teología, Escritura, catequesis y desarrollo de la fe en los niños. Este programa lleva a una experiencia más profunda de Jesús en la comunidad y ha sido extraído de la sabiduría de la comunidad.

Consultores en catequesis y liturgia

Dr. Gerard F. Baumbach
Director, Center for Catechetical Initiatives
Profesor de teología
University of Notre Dame

Sr. Janet Baxendale, SC
Profesor adjunto de teología
St. Joseph Seminary, Dunwoodie, NY

Carole M. Eipers, D.Min.
Vice presidenta y directora ejecutiva en catequesis
William H. Sadlier, Inc.

Rev. Ronald J. Lewinski, S.T.L.
St. Mary of the Annunciation
Mundelein, IL

Rev. Msgr. James P. Moroney
Director ejecutivo del secretariado para la liturgia de la USCCB

Consultores en currículo y desarrollo del niño

Patricia Andrews
Directora de educación religiosa
Our Lady of Lourdes
Slidell, LA

William Bischoff
Ministerios catequéticos
Mission San Luis Rey Parish
Oceanside, CA

Diana Carpenter
Directora formación en la fe
St. Elizabeth Ann Seton Parish
San Antonio, TX

Consultores en teología

Most Reverend Edward K. Braxton, Ph.D., S.T.D.
Teólogo oficial
Bishop of Belleville

Monseñor John Arnold
Vicario general
Arquidiócesis de Westminster

Consultores en medios y tecnología

Sister Jane Keegan, RDC
Editora de Internet
William H. Sadlier, Inc.

Consultores en catequesis bilingüe

Vilma Angulo
Directora de educación religiosa
All Saints Catholic Church
Sunrise, FL

Sr. Lois Knipp, OP
Directora de educación religiosa
Holy Rosary Catholic Church
Minneapolis, MN

Miguel Mejía, Jr.
Director de ministerio
St. Gerard Catholic High School
San Antonio, TX

Padre Terrence Moran, C.SS.R.
Shrine of St. Joseph
Stirling, NJ

Dra. Ana María Pineda, RSM
Profesor asociado
Santa Clara University
Santa Clara, CA

Equipo de escritores y editores

Rosemary K. Calicchio
Vice presidenta de publicaciones

Melissa Gibbons
Directora de producción

Blake Bergen
Director editorial

MaryAnn Trevaskiss
Supervisora de edición

Maureen Gallo
Editora

Alberto Batista Reyes
Editor

Mary Ellen Kelly
Editora

Traducción y adaptación

Dulce M. Jiménez Abreu
Directora de programas en español
William H. Sadlier, Inc.

Equipo consultor de Sadlier

Roy Arroyo
Michaela Burke
Judith Devine
Ken Doran
Kathleen Hendricks
William M. Ippolito
Saundra Kennedy, Ed.D.
Kathleen Krane
Suzan Larroquette

Equipo de edición y operaciones

Deborah J. Jones
Vice presidenta de operaciones editoriales

Vince Gallo
Director creativo

Francesca O'Malley
Directora asociada de arte

Jim Saylor
Director fotográfico

Jovito Pagkalinawan
Administrador electrónico prepress

Equipo de diseño

Andrea Brown
Sasha Khorovsky
Dmitry Kushnirsky
María Pia Marella

Equipo de producción

Barbara Brown
Robin D'Amato
Douglas Labidee
Vinny McDonough
Maureen Morgan
Gavin Smith
Sommer Zakrzewski

INDICE

CONTENTS

Encuentra estas cosas en la iglesia.

1. santuario
2. altar
3. crucifijo
4. tabernáculo
5. lámpara del santuario
6. ambón
7. cáliz
8. patena
9. vinajeras
10. silla presidencial
11. cruz para la procesión
12. pila bautismal
13. estaciones del vía crucis
14. confesionario

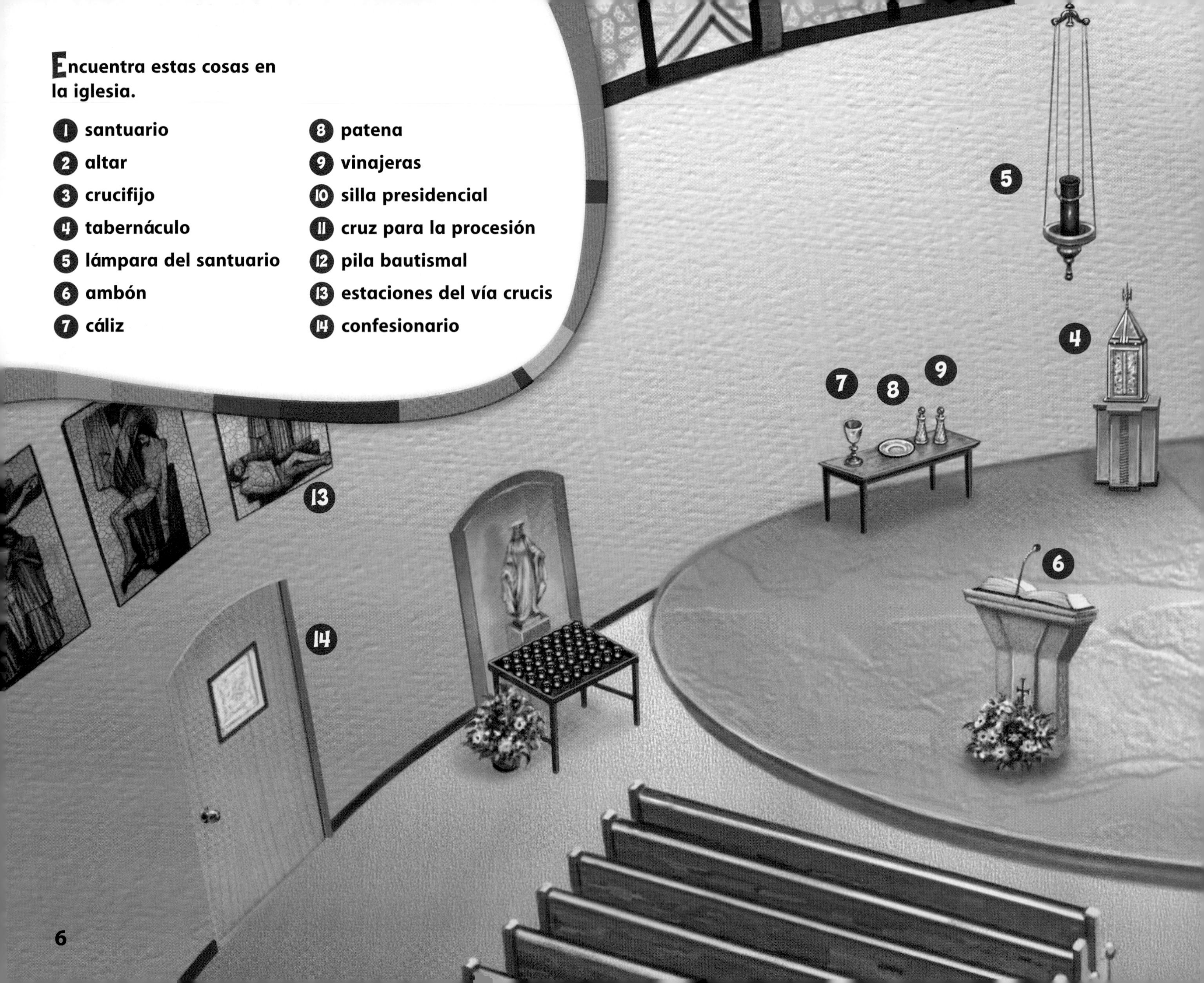

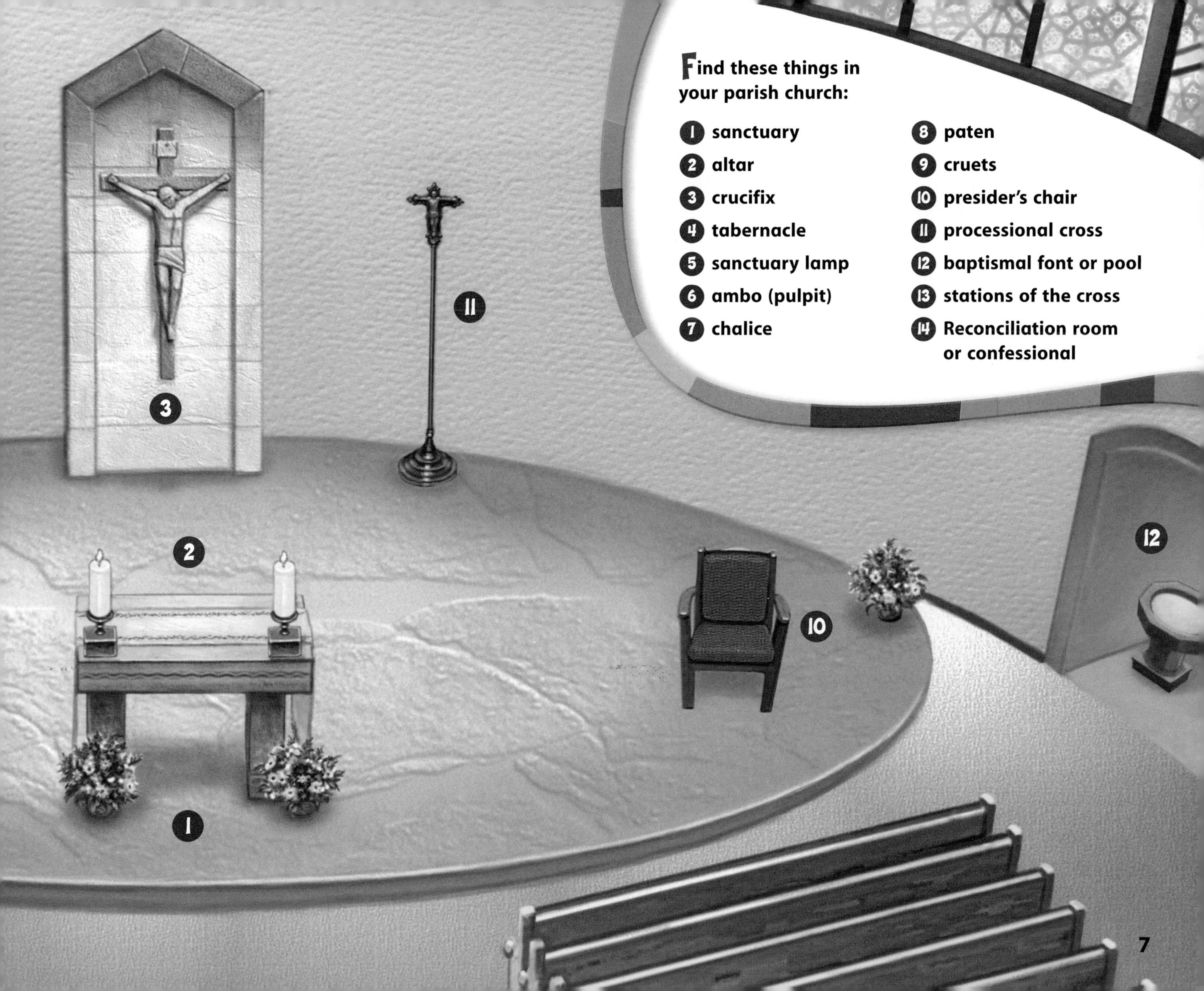
Find these things in your parish church:
1 sanctuary
2 altar
3 crucifix
4 tabernacle
5 sanctuary lamp
6 ambo (pulpit)
7 chalice
8 paten
9 cruets
10 presider's chair
11 processional cross
12 baptismal font or pool
13 stations of the cross
14 Reconciliation room or confessional
11
3
2
10
12
1

Bienvenida

Creemos y celebramos: Primera comunión es un libro diseñado especialmente para ti. Lo usarás para prepararte para la primera comunión. Muchas personas te guiarán mientras aprendes para esta celebración especial en tu vida. Piensa en que este libro puede ser un recuerdo durante toda tu vida.

En cada uno de los capítulos encontrarás:

✦ Compartimos la palabra de Dios

Celebrarás a las personas y las cosas en tu vida. Leerás y escucharás historias de la Biblia.

✦ Creemos y celebramos

Aprenderás sobre la primera comunión y te prepararás para recibirla.

✦ Respondemos en oración

Con tu familia y amigos recordarás y celebrarás tu fe. Celebrarás tu amor por Dios con palabras y cantos.

Welcome!

We Believe & Celebrate First Communion is your book. You will use it to prepare for your First Holy Communion. Many people will guide you as you learn about this special celebration in your life. So make this book one that you can keep forever.

As you go through each chapter you will:

✦ Gather and Share God's Word

You celebrate the people and things in your life. You read and listen to a story from the Bible.

✦ Believe and Celebrate

You learn about and prepare to receive the Sacrament of the Eucharist.

✦ Respond and Pray

With your family and friends you remember and celebrate what you believe. You celebrate your love for God in words and song.

Pertenecemos a la Iglesia

"Recibid la luz de Cristo".

Rito del Bautismo

"Receive the light of Christ."

Rite of Baptism

We Belong to the Church

Nos congregamos

Usa estas páginas para mostrar:

1. tu familia
2. como muestran que se aman.

1

Use these pages to show:

1. your family
2. your love for one another.

2

Compartimos la palabra de Dios

Hechos de los apóstoles 2:1–4, 38–41

Narrador: Jesús dijo a sus discípulos que él regresaría a su Padre en el cielo. También les dijo que el Espíritu Santo vendría a guiarlos. El Espíritu Santo los ayudaría a recordar todo lo que Jesús había dicho y hecho.

Discípulo de Jesús: Estaba con los demás discípulos y con María, la madre de Jesús. De repente escuchamos un ruido. Sonaba como un viento fuerte. Vimos lo que parecía una llama de fuego sobre cada uno de nosotros.

Narrador: “Todos quedaron llenos del Espíritu Santo”. (Hechos de los apóstoles 2:4)

Discípulo de Jesús: Salimos de donde estábamos. Entonces Pedro, uno de los apóstoles, empezó a enseñar. El invitó a la gente a que se bautizara. El dijo que también ellos podrían recibir el don del Espíritu Santo.

Narrador: “Los que aceptaron su palabra fueron bautizados, y se les unieron aquel día unas tres mil personas”. (Hechos de los apóstoles 2:41)

We Share God's Word

Acts of the Apostles 2:1–4, 38–41

Narrator: Jesus told his disciples that he would return to his Father in heaven. But he said that the Holy Spirit would be with them to guide them. The Holy Spirit would help them remember everything that Jesus had said and done.

Jesus' Disciple: I was with the other disciples and with Mary, the mother of Jesus. Suddenly we heard a noise. It sounded like a strong wind. We saw what looked like a flame of fire over each one of us.

Narrator: "And they were all filled with the holy Spirit." (Acts of the Apostles 2:4)

Jesus' Disciple: We left where we were staying. Then Peter, one of Jesus' Apostles, began teaching. He invited the people to be baptized. He said that they, too, would then receive the Gift of the Holy Spirit.

Narrator: "Those who accepted his message were baptized, and about three thousand persons were added that day." (Acts of the Apostles 2:41)

Creemos y celebramos

Una comunidad es un grupo de personas que comparten juntas. Estas personas celebran y trabajan juntas.

La primera comunidad a la que pertenecemos es nuestra familia. Cuando somos bautizados nos hacemos parte de otra comunidad, la Iglesia. La **Iglesia** es todo bautizado en Jesucristo y que sigue sus enseñanzas.

Por nuestro bautismo pertenecemos a la Iglesia Católica. Como católicos creemos en la Santísma Trinidad, Dios el Padre, Dios el Hijo y Dios el Espíritu Santo.

Creemos que Jesucristo, el Hijo de Dios, se hizo hombre, murió y resucitó para salvarnos. Tratamos de amar a Dios y a los demás como lo hizo Jesús. Esto lo hacemos con la ayuda del Espíritu Santo.

Hay miembros de la Iglesia Católica en todo el mundo. Los católicos se reúnen como comunidades parroquiales para adorar a Dios y compartir y celebrar su amor.

Como católicos nos reunimos en nuestra comunidad parroquial. Nos reunimos para la misa y la celebración de los sacramentos. Nos reunimos para mostrar nuestro amor a Dios y a los demás.

We Believe and Celebrate

A community is a group of people who share with one another. They celebrate and work together.

The first community we belong to is our family. When we are baptized, we become a part of another community, the Church. The **Church** is all the people who are baptized in Jesus Christ and follow his teachings.

Through our Baptism, we belong to the Catholic Church. As Catholics, we believe in the Blessed Trinity. The Blessed Trinity is three Persons in one God, God the Father, God the Son, and God the Holy Spirit.

We believe that Jesus Christ, the Son of God, became one of us and died and rose again to save us. We try to love God and others as Jesus did. We do this through the help of the Holy Spirit.

There are members of the Catholic Church all over the world. Catholics gather together as parish communities to worship God and to share and celebrate God's love.

As Catholics we gather together in our parish community. We gather for Mass and the celebration of the sacraments. We gather to show our love for God and others.

Creemos y celebramos

Un **sacramento** es un signo especial dado por Jesús. Cada vez que celebramos un sacramento, Jesús está con nosotros por medio del poder del Espíritu Santo. Las oraciones y las cosas que hacemos muestran que estamos unidos con Jesús. Así que en cada sacramento compartimos la propia vida y el amor de Dios.

Por medio del Bautismo, Dios comparte su vida con nosotros. Nos hacemos hijos de Dios y miembros de la Iglesia. Llamamos **gracia** a la vida de Dios en nosotros.

El Bautismo es el primer sacramento que recibimos. Durante el Bautismo somos sumergidos en agua o el agua es derramada sobre nuestras cabezas. El sacerdote o el diácono reza una oración especial. Somos bautizados en el nombre del Padre, y del Hijo y del Espíritu Santo. Cuando somos bautizados, somos ungidos con aceite. Esto nos recuerda que estamos recibiendo el don del Espíritu Santo por primera vez.

Los siete sacramentos

- Bautismo
- Confirmación
- Eucaristía
- Penitencia y Reconciliación
- Unción de los Enfermos
- Matrimonio
- Orden Sagrado

We Believe and Celebrate

A **sacrament** is a special sign given to us by Jesus. Every time we celebrate a sacrament, Jesus is with us through the power of the Holy Spirit. The prayers we pray and the things we do show that we are joined, or united, with Jesus. So through each sacrament we share in God's own life and love.

Through Baptism, God shares his life with us. We become children of God and members of the Church. We call God's life in us **grace**.

Baptism is the first sacrament we receive. At Baptism, we are placed in water or water is poured over our heads. The priest or deacon prays special words. We are baptized in the name of the Father, and of the Son, and of the Holy Spirit. When we are baptized, we are anointed with oil. This reminds us that we are receiving the Gift of the Holy Spirit for the first time.

The Seven Sacraments

- Baptism
- Confirmation
- Eucharist
- Penance and Reconciliation
- Anointing of the Sick
- Matrimony
- Holy Orders

Creemos y celebramos

En la Confirmación somos sellados con el don del Espíritu Santo y fortalecidos. De nuevo somos ungidos con aceite en la Confirmación. Esto muestra que el Espíritu Santo está con nosotros de manera especial. Muestra que hemos sido separados para hacer el trabajo de Dios.

En el sacramento de la Eucaristía, el pan y el vino se convierten en el Cuerpo y la Sangre de Jesucristo. Recibimos a Jesucristo mismo en la comunión. Estamos unidos a Jesucristo y a los demás.

Bautismo, Confirmación y Eucaristía son los sacramentos de iniciación. Otra palabra para iniciación es *inicio*. Cuando hemos recibido los tres sacramentos, completamos el proceso de ser miembros de la Iglesia.

We Believe and Celebrate

In the Sacrament of Confirmation, we are sealed with the Gift of the Holy Spirit and strengthened. At Confirmation we are again anointed with oil. This shows that the Holy Spirit is with us in a very special way. It shows that we are set apart to do God's work.

In the Sacrament of the Eucharist, the bread and wine become the Body and Blood of Jesus Christ. We receive Jesus Christ himself in Holy Communion. We are united with Jesus Christ and to one another.

Baptism, Confirmation, and Eucharist are the sacraments of initiation. Another word for initiation is *beginning*. After we receive all three of these sacraments, we are full members of the Church.

Respondemos

Usa estas páginas para mostrar:

1. algo que haces con tu parroquia
2. tu familia celebrando tu bautismo
3. ____________________ ayudándote a preparar para tu primera comunión.

We Respond

Use these pages to show:

1. what you do with your parish
2. your family celebrating your Baptism
3. ______________________ helping you to prepare for your First Communion.

Respondemos en oración

Líder: Vamos a hacer la Señal de la Cruz y a cantar.

Creemos, creemos en Dios

Estribillo
Creemos en Dios;
creemos en Jesús, el Hijo;
y en el Espíritu Santo.
Creemos, creemos en Dios.

Creemos en Dios, el creador del
cielo y de la tierra.
Dios es amor y aquellos que viven
en amor aman a Dios.
(Estribillo)

Líder: Jesús, somos hijos de Dios y parte de tu comunidad, la Iglesia. En el Bautismo recibimos la luz de Cristo y prometemos caminar en tu luz.

Todos: Jesús, eres muestra luz.

Líder: Jesús, gracias por tu amor. También gracias por el don de los sacramentos. Creemos que es por medio de los siete sacramentos que compartimos la vida de Dios.

Todos: Jesús, eres nuestra luz.

Líder: Vamos a juntar nuestras manos y a rezar las palabras que Jesús nos enseñó:

Todos: Padre nuestro …

We Respond in Prayer

Leader: Let us pray the Sign of the Cross together and join in singing.

We Believe, We Believe in God

Chorus
We believe in God;
We believe, we believe in Jesus;
We believe in the Spirit who gives us life.
We believe, we believe in God.

We believe in the Holy Spirit,
who renews the face of the earth.
We believe we are part of a living Church,
and forever we will live with God.

(Chorus)

Leader: Jesus, we are children of God and a part of your community, the Church. At Baptism we receive the light of Christ and promise to walk in your light.

All: Jesus, you are our light.

Leader: Jesus, thank you for your love. Also, thank you for the gift of the sacraments. We believe that it is through the seven sacraments that we share in God's own life.

All: Jesus, you are our light.

Leader: Let us join hands together as we pray the words Jesus taught us to pray.

All: Our Father . . .

Nos congregamos y damos gracias

"Gloria a Dios en el cielo".

Misal romano

2

"Glory to God in the highest."
Roman Missal

We Gather and Give Thanks

Nos congregamos

Usa estas páginas para mostrar:

1. tus celebraciones favoritas en familia
2. la celebración más especial y por qué.

1

Use these pages to show:

1. your favorite family celebrations
2. the most special celebration, and why.

ompartimos la palabra de Dios

Jesús y sus discípulos con frecuencia se reunían para celebrar las fiestas judías. Juntos daban gracias a Dios el Padre por sus bendiciones.

Para celebrar algunas fiestas, junto a otros judíos, iban al Templo en Jerusalén. El Templo era el lugar santo en Jerusalén donde el pueblo judío rezaba y adoraba a Dios.

La semana antes de Jesús morir y resucitar, él y sus discípulos fueron a Jerusalén. Muchas personas estaban ahí para celebrar la importante fiesta judía de Pascua. El pueblo escuchó que Jesús y sus discípulos venían a celebrar.

Muchas personas fueron a ver a Jesús. Algunas tiraron sus abrigos en la vía. Otros tiraron ramas de árboles o las agitaban cuando Jesús pasaba. El pueblo empezó a alabar a Jesús diciendo.

"¡Hosanna!
¡Bendito el que viene en nombre
del Señor!" (Marcos 11:9)

We Share God's Word

Jesus and his disciples often gathered to celebrate Jewish feasts and holy days. Together they thanked God the Father for his blessings.

For some feasts they went to the Temple in Jerusalem to celebrate with other Jewish families. The Temple was the holy place in Jerusalem where Jewish people prayed and worshiped God.

Mark 11:8–9

The week before Jesus died and rose again, he and his disciples went up to Jerusalem. Many people were there to celebrate the important Jewish feast of Passover. People heard that Jesus and his disciples were coming to celebrate, too.

Many people went to meet Jesus. Some spread out their coats on the road. Others spread tree branches or waved them as Jesus passed. People began to praise Jesus. They called out,

"Hosanna!
Blessed is he who comes in the name
of the Lord!" (Mark 11:9)

Creemos y celebramos

Nos reunimos en nuestra comunidad parroquial a celebrar el amor de Dios. Juntos damos culto a Dios. Dar **culto** a Dios significa "alabarlo y darle gracias".

Todos los domingos nos reunimos en nuestra parroquia para adorar a Dios. Celebramos la Eucaristía. Esta celebración de la Eucaristía es llamada **misa**. Con nuestras palabras y acciones especiales, mostramos que creemos que Dios está con nosotros.

La comunidad de personas que se reúnen para la celebración de la misa es llamada **asamblea**. Un sacerdote dirige a la asamblea en esta celebración. El sacerdote es llamado celebrante. El es asistido por un diácono. En la misa el sacerdote y el diácono usan ropas especiales llamadas vestimentas.

Nuestra celebración dominical

Jesús resucitó a una nueva vida un domingo. Por eso el domingo es un día especial para la Iglesia. Descansamos y alabamos a Dios.

La Iglesia nos pide alabar a Dios participando de la misa todos los domingos del año. También debemos asistir a misa en días especiales llamados días de precepto. Hacemos esto para cumplir con el tercer mandamiento y una de las leyes de la Iglesia.

El domingo es llamado el día del Señor. La celebración del día del Señor se extiende desde el sábado en la tarde hasta el domingo a media noche. Durante este tiempo como católicos, nos reunimos con nuestra parroquia para celebrar la misa. Esta celebración de la Eucaristía es el centro de la vida católica.

We Believe and Celebrate

We gather with our parish community to celebrate God's love. We worship God together. To **worship** God means "to praise and thank" him.

Every Sunday we gather with our parish to worship God. We celebrate the Eucharist. This celebration of the Eucharist is called the **Mass**. By our special words and actions, we show that we believe that God is with us.

The community of people who join together for the celebration of the Mass is called the gathered **assembly**. A priest leads the gathered assembly in this celebration. He is called the celebrant. He is often assisted by a deacon. At Mass the priest and the deacon wear special clothing called vestments.

Our Sunday Celebration

It was on a Sunday that Jesus Christ rose to new life. So Sunday is a special day for the Church. We rest and worship God.

The Church tells us to worship God by taking part in the Mass every Sunday of the year. We are also to attend Mass on special days called holy days of obligation. When we do this we follow the third commandment and one of the laws of the Church.

Sunday is called the Lord's Day. The celebration of the Lord's Day is from Saturday evening through Sunday until midnight. During this time, as Catholics, we gather with our parish to celebrate the Mass. This celebration of the Eucharist is the center of Catholic life.

Creemos y celebramos

En la misa mostramos nuestro amor a Dios cantando, rezando y escuchando su palabra. Juntos con el sacerdote:

- ✦ alabamos y damos gracias a Dios
- ✦ escuchamos la palabra de Dios
- ✦ recordamos la vida, muerte, resurrección y ascensión de Jesús
- ✦ celebramos que Jesús se da a sí mismo en la Eucaristía.

La celebración de la misa empieza con los **Ritos Iniciales**. Estas oraciones y acciones al inicio de la misa nos ayudan a recordar que estamos adorando en comunidad. Ellos nos preparan para escuchar la palabra de Dios y para celebrar la Eucaristía.

Esto es lo que hacemos durante los Ritos Iniciales.

- ✦ Nos ponemos de pie y cantamos una alabanza a Dios. Durante ese tiempo el sacerdote, el diácono y las personas que ayudarán en la misa caminan hacia el altar. El sacerdote y el diácono besan el altar en señal de respeto.

Throughout the Mass we show God our love by singing, praying, and listening to God's word. Together with the priest, we

- ✦ praise and thank God
- ✦ listen to God's word
- ✦ remember Jesus' life, death, Resurrection, and Ascension
- ✦ celebrate that Jesus gives himself to us in the Eucharist.

The celebration of Mass begins with the **Introductory Rites**. These prayers and actions at the beginning of the Mass help us to remember that we are a worshiping community. They prepare us to listen to God's word and to celebrate the Eucharist.

Here is what we do during the Introductory Rites:

- ✦ We stand and sing to praise God. As we sing, the priest, deacon, and others helping at Mass walk to the altar. The priest and deacon kiss the altar as a sign of respect.

Creemos y celebramos

Nuestros párrocos

Por medio del sacramento del Orden, un hombre se hace sacerdote. Muchos sacerdotes sirven en parroquias locales. Dedican sus vidas a compartir el amor de Dios con el pueblo. Ellos actúan en la Persona de Cristo en la celebración de la misa y los demás sacramentos.

"Gloria a Dios en el cielo"

- Hacemos la señal de la cruz. El sacerdote nos saluda. Sus palabras y nuestra respuesta nos recuerdan que Jesús está presente.
- El sacerdote nos pide pensar en las veces que no hemos amado a Dios y a los demás. Entonces pedimos perdón a Dios y a los demás.
- Juntos con el sacerdote alabamos a Dios por su amor y su perdón. Rezamos.
  "Señor, ten piedad.
  Cristo, ten piedad.
  Señor, ten piedad".
- Algunas veces cantamos o hacemos una oración de alabanza a Dios el Padre, Dios el Hijo y Dios el Espíritu Santo. Esta oración empieza con las palabras:
  "Gloria a Dios en el cielo,
  y paz en la tierra a los hombres".
- El sacerdote reza una oración inicial. Respondemos: "Amén".

We Believe and Celebrate

- We make the sign of the cross. Then the priest greets us. His words and our response remind us that Jesus is present with us.
- The priest asks us to think about times we have not loved God and others. Then we ask God and one another for forgiveness.
- Together with the priest we praise God for his love and forgiveness. We may pray:
  "Lord, have mercy.
  Christ, have mercy.
  Lord, have mercy."
- We often sing or say a prayer of praise to God the Father, God the Son, and God the Holy Spirit. This prayer begins with the words:
  "Glory to God in the highest,
  and on earth peace to people
  of good will."
- The priest prays an opening prayer. We respond, "Amen."

Our Parish Priests

Through the Sacrament of Holy Orders, a man becomes a priest. Many priests serve in local parishes. They spend their lives sharing God's love with people. They act in the Person of Christ in celebrating Mass and the other sacraments.

Respondemos

Usa estas páginas para mostrar:

1. las palabras y acciones que usamos para alabar a Dios en la misa cuando nos reunimos en nuestra parroquia
2. podemos preparar un lugar especial para rezar en la casa.

We Respond

Use these pages to show:

1. words and actions that we use to worship God when we gather with our parish for Mass
2. we can make a special place to pray at home.

Respondemos en oración

A su altar el Señor nos llamó

A su altar el Señor nos llamó
a cantar y a expresar nuestra fe.
En la fiesta de amor en la fiesta de paz,
en la fiesta la unión que es Jesús se nos da.

Líder: Vamos a poner un tazón con agua bendita en el lugar de oración.

Lector 1: Dios, que esta agua bendita nos recuerde nuestro bautismo. En el Bautismo nos hicimos tus hijos y miembros de la Iglesia.

Todos: Dios nuestro Padre, te alabamos y damos gracias.

Líder: También ponemos una cruz.

Lector 2: Jesús, que esta cruz nos recuerde que fuiste uno de nosotros y resucitaste de nuevo para salvarnos del pecado.

Todos: Jesús, Hijo de Dios, te alabamos y te damos gracias.

Líder: También ponemos una vela.

Lector 3: Espíritu Santo, haz que esta vela encendida nos recuerde que siempre estás guiándonos.

Todos: Dios Espíritu Santo, te alabamos y te damos gracias.

Líder: Juntos vamos a rezar estas palabras que rezamos en la misa:

Todos: "Gloria a Dios en el cielo,
y paz en la tierra a los hombres que
ama el Señor. Te alabamos, te bendecimos,
te adoramos".

♫ We Celebrate with Joy

We celebrate with joy and gladness!
We celebrate God's love for us!
We celebrate with joy and gladness:
God with us today! God with us today!

✝ **Leader:** We place a bowl of holy water in the prayer space.

Reader 1: God, may this holy water remind us of our Baptism. At Baptism we became your children and members of the Church.

All: God our Father, we praise and thank you.

Leader: We place a cross here.

Reader 2: Jesus, may this cross remind us that you became one of us and died and rose again to save us from sin.

All: Jesus, Son of God, we praise and thank you.

We Respond in Prayer

Leader: We place a candle here.

Reader 3: Holy Spirit, may the candle flame remind us that you are with us to guide us.

All: God the Holy Spirit, we praise and thank you.

Leader: Let us join in praying words we often pray at Mass:

All: "Glory to God in the highest
and on earth peace to people of good will.

We praise you, we bless you,
we adore you, we glorify you,
we give you thanks for your great glory."

Celebramos la Liturgia de la Palabra

"Gloria a ti Señor, Jesús".

Misal romano

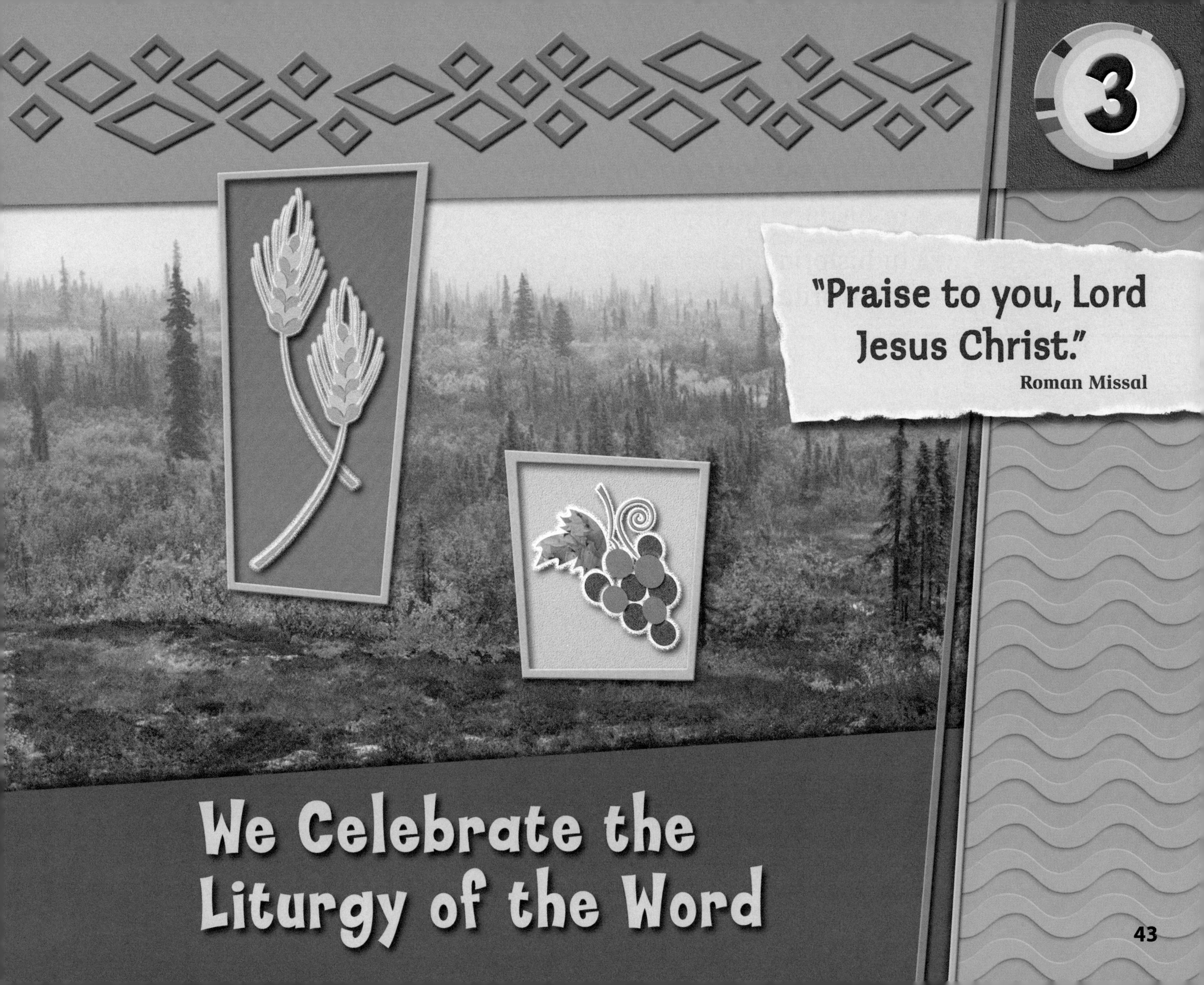

3

"Praise to you, Lord Jesus Christ."
Roman Missal

We Celebrate the Liturgy of the Word

Nos congregamos

Usa estas páginas para mostrar:

1. tu historia favorita y por qué es tu favorita
2. tu historia bíblica favorita y por qué es tu favorita.

Use these pages to show:

1. your favorite story and why it is your favorite
2. your favorite Bible story and why it is your favorite.

artimos la palabra de Dios

n día una multitud se congregó para escuchar a Jesús enseñar. Jesús le contó esta historia. Puedes leer esta historia con tus amigos y tu familia.

Mateo 13:3–8, 23

Una vez un granjero plantó unas semillas. Algunas de ellas no cayeron en su campo. Cayeron en el camino. Las aves vinieron y se las comieron.

Algunas semillas cayeron en tierra rocosa. El suelo no era muy profundo. Las semillas empezaron a crecer pero se secaron y murieron.

Otras semillas cayeron entre espinas y malezas. También empezaron a crecer. Pero fueron ahogadas por las espinas y las malezas.

"Algunas semillas cayeron en tierra fértil". (Mateo 13:8) Estas crecieron fuerte, sanas y produjeron fruto.

Jesús explicó el significado de esta historia. El dijo que la gente que escucha con cuidado la palabra de Dios es como las semillas que caen en suelo fértil. El amor de Dios crece en ellos y comparten ese amor con otros.

We Share God's Word

One day a large crowd gathered to hear Jesus teach. Jesus told them this story. You can read this story with your friends and family, too.

Once there was a farmer who planted seeds. Some seeds did not fall in his field. They fell on a path. Birds came and ate these seeds.

Some seeds fell on rocky ground. The soil was not very deep. Plants began to grow. But then they dried up and died.

Other seeds fell into the thorns and weeds. Plants started to grow. But these plants were choked by the thorns and weeds.

"But some seed fell on rich soil." (Matthew 13:8) These seeds grew into strong, healthy plants, and produced fruit.

Jesus explained the meaning of his story. He said that people who listen carefully to God's word are like the seeds in the rich soil. They grow in God's love and share his love with others.

Creemos y celebramos

La Biblia es el libro de la palabra de Dios. La Biblia tiene dos partes, el Antiguo Testamento y el Nuevo Testamento. En el Antiguo Testamento aprendemos sobre el pueblo de Dios que vivió antes de los tiempos de Jesús en la tierra. En el Nuevo Testamento aprendemos sobre Jesús y sus discípulos y sobre el inicio de la Iglesia.

Cada domingo en la misa escuchamos tres lecturas de la Biblia. Escuchamos a Dios hablarnos por medio de su palabra. Esto tiene lugar durante la Liturgia de la palabra. **La Liturgia de la Palabra** es la parte de la misa en que escuchamos la palabra de Dios proclamada. *Proclamar* significa "anunciar la palabra de Dios".

En la mayoría de los domingos la primera lectura es tomada del Antiguo Testamento. De esta lectura aprendemos sobre las cosas maravillosas que Dios hizo por su pueblo antes de nacer Jesús. Aprendemos que el amor de Dios por su pueblo nunca termina.

Un **salmo** es una canción de alabanza de la Biblia. Después de la primera lectura el lector o el cantor principal del coro reza un salmo, y nosotros respondemos cantando o rezando.

La segunda lectura es tomada del Nuevo Testamento. Durante esta lectura escuchamos las enseñanzas de los apóstoles. Aprendemos sobre el inicio de la Iglesia.

La Liturgia de la Palabra

- Primera lectura
- Salmo responsorial
- Segunda lectura
- Aleluya (u otras palabras de alabanza)
- Evangelio
- Homilía
- Credo
- Oración de los fieles

We Believe and Celebrate

The Bible is the book of God's word. The Bible has two parts, the Old Testament and the New Testament. In the Old Testament we learn about God's people who lived before Jesus' time on earth. In the New Testament we learn about Jesus and his disciples and about the beginning of the Church.

Every Sunday at Mass we listen to three readings from the Bible. We listen to God speaking to us through his word. This takes place during the Liturgy of the Word. The **Liturgy of the Word** is the part of the Mass in which we listen to God's word being proclaimed. *To proclaim* means "to announce God's word."

On most Sundays the first reading is from the Old Testament. From this reading we learn about the wonderful things God did for his people before Jesus was born. We learn that God's love for his people never ends.

A **psalm** is a song of praise from the Bible. After the first reading the reader or cantor prays a psalm verse. We sing or say a response.

The second reading is from the New Testament. During this reading we listen to the teachings of the Apostles.We learn about the beginning of the Church.

The Liturgy of the Word

- First Reading
- Responsorial Psalm
- Second Reading
- Alleluia (or other words of praise)
- Gospel
- Homily
- Creed
- Prayer of the Faithful

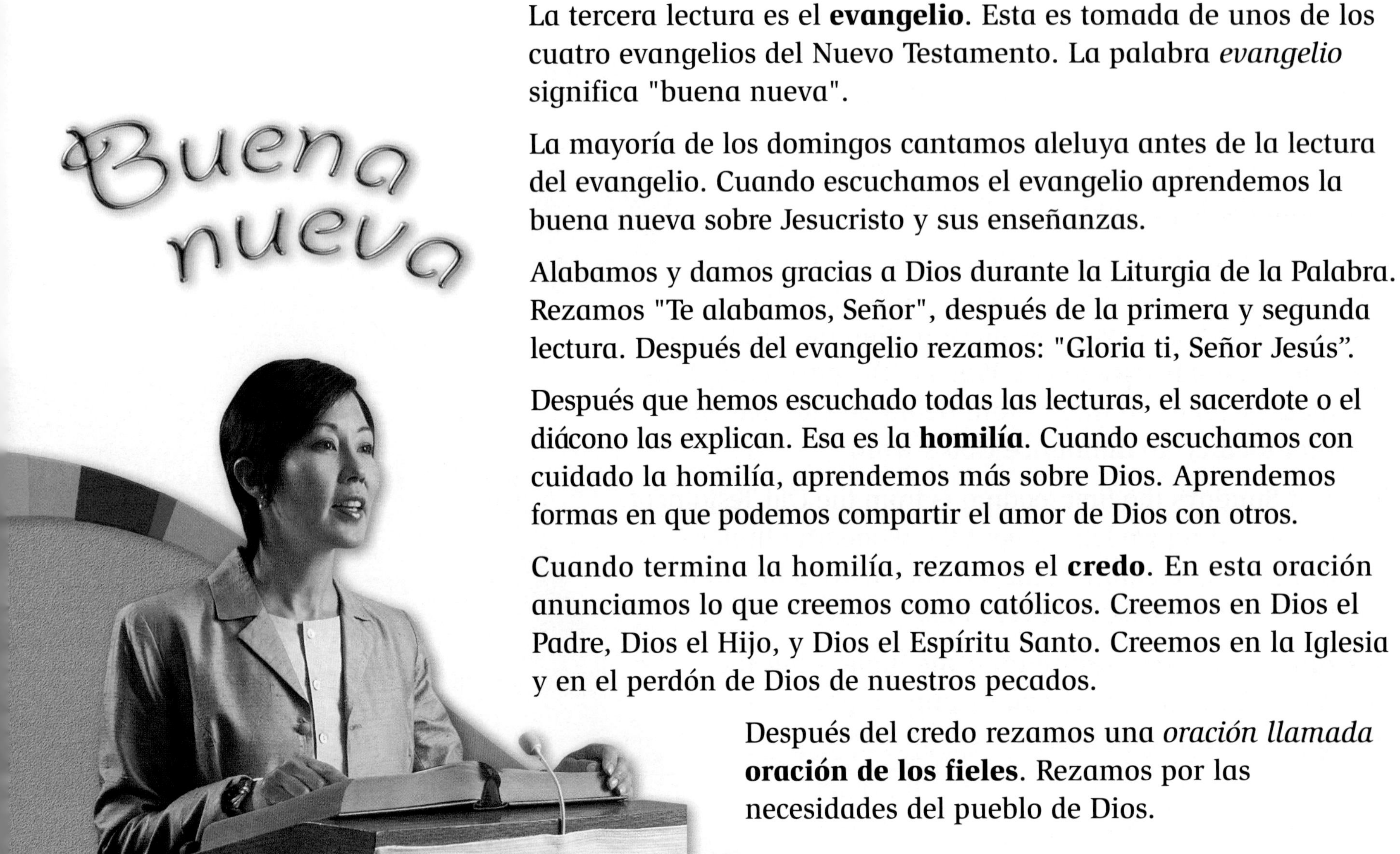

La tercera lectura es el **evangelio**. Esta es tomada de unos de los cuatro evangelios del Nuevo Testamento. La palabra *evangelio* significa "buena nueva".

La mayoría de los domingos cantamos aleluya antes de la lectura del evangelio. Cuando escuchamos el evangelio aprendemos la buena nueva sobre Jesucristo y sus enseñanzas.

Alabamos y damos gracias a Dios durante la Liturgia de la Palabra. Rezamos "Te alabamos, Señor", después de la primera y segunda lectura. Después del evangelio rezamos: "Gloria ti, Señor Jesús".

Después que hemos escuchado todas las lecturas, el sacerdote o el diácono las explican. Esa es la **homilía**. Cuando escuchamos con cuidado la homilía, aprendemos más sobre Dios. Aprendemos formas en que podemos compartir el amor de Dios con otros.

Cuando termina la homilía, rezamos el **credo**. En esta oración anunciamos lo que creemos como católicos. Creemos en Dios el Padre, Dios el Hijo, y Dios el Espíritu Santo. Creemos en la Iglesia y en el perdón de Dios de nuestros pecados.

Después del credo rezamos una *oración llamada* **oración de los fieles**. Rezamos por las necesidades del pueblo de Dios.

We Believe and Celebrate

The third reading is the **Gospel**. It is from one of the four Gospels of the New Testament. The word *gospel* means "good news."

On most Sundays we sing Alleluia before the Gospel is read. When we listen to the Gospel, we learn the good news about Jesus Christ and his teachings.

We praise and thank God during the Liturgy of the Word. We pray, "Thanks be to God," after the first and second readings. We pray, "Praise to you, Lord Jesus Christ," after the Gospel.

After we have heard all the readings, the priest or deacon talks to us about them. This talk is called the **homily**. When we listen carefully to the homily, we learn more about God. We learn ways we can share God's love with others.

When the homily is finished, we pray the **Creed**. We announce what we believe as Catholics. We believe in God the Father, God the Son, and God the Holy Spirit. We believe in the Church and in God's forgiveness of our sins.

After the Creed we pray the **Prayer of the Faithful**. We pray for the needs of all God's people.

Creemos y celebramos

Rezamos por toda la Iglesia. Rezamos por el papa, los líderes de la Iglesia y el pueblo de Dios. Rezamos por la gente en todo el mundo, especialmente los necesitados y los enfermos. También rezamos por las personas en nuestra parroquia que han muerto. Rezamos por las personas en nuestras vidas que necesitan el amor y la ayuda de Dios. Después de cada oración pedimos a Dios que escuche nuestra oración.

Cuando celebramos

En la Liturgia de la Palabra:

- Un lector lee las primeras dos lecturas. Estas son leídas de un libro llamado *Leccionario*. Nos sentamos a escuchar estas lecturas.
- Un sacerdote o un diácono lee de los evangelios de Mateo, Marcos, Lucas o Juan. Estas lecturas se hacen de un libro llamado *Libro de los evangelios*. Nos ponemos de pie para escuchar la lectura del evangelio como señal de respeto a Dios, quien nos está hablando.

We Believe and Celebrate

We pray for the whole Church. We pray for the pope, other Church leaders, and all God's people. We pray for people throughout the world, especially for those who are sick or in need. We pray for the people in our parish who have died. We pray for people in our lives who need God's love and help. After each prayer, we ask God to hear our prayer.

When We Celebrate

At the Liturgy of the Word:

- A reader reads the first two readings. They are read from a book called the *Lectionary*. We sit while we listen to these readings.
- A priest or deacon reads from the Gospel of Matthew, Mark, Luke, or John. It is most often read from a special book called the *Book of the Gospels*. We stand as the Gospel is read as a sign of respect for God who is speaking to us.

Respondemos

Usa estas páginas para mostrar formas en que:

1. alabas y das gracias a Dios
2. rezas por el pueblo de Dios
3. puedes vivir la palabra de Dios esta semana.

We Respond

Use these pages to show ways you:

1. praise and thank God
2. pray for all God's people
3. can live out God's word this week.

Respondemos en oración

Líder: Dios, te damos gracias por el don de tu palabra.

Todos: Oh Dios, tu palabra nos da vida.

Líder: Dios, creemos que nos hablas por medio de tu palabra.

Todos: Oh Dios, tu palabra nos da vida.

Líder: Nos ponemos de pie para cantar aleluya.

Todos: Aleluya.

Lector: Lectura del evangelio según Mateo.
(Leer Mateo 13:3–8, 23)

Palabra del Señor.

Todos: Gloria a ti, Señor Jesús.

Líder: Recemos en voz baja. Hablamos a Jesús sobre escuchar la palabra de Dios. Pidamos al Espíritu Santo nos guíe para llevar la palabra de Dios a nuestros corazones.

Yo quisiera escuchar

Yo quisiera escuchar como Samuel
tu palabra divina, Señor.
Tu palabra que habla en el silencio
y es luz que ilumina.

Yo quisiera escuchar como Samuel
tu palabra divina Señor.
Tu palabra nos guía en el camino
y es pan que alimenta.

We Respond in Prayer

✝ **Leader:** God, we thank you for the gift of your word.

All: O God, your word gives us life.

Leader: God, we believe you speak to us through your word.

All: O God, your word gives us life.

Leader: Let us stand and sing alleluia.

All: Alleluia!

Reader: A reading from the holy Gospel according to Matthew (Read Matthew 13:3–8, 23)

The Gospel of the Lord.

All: Praise to you, Lord Jesus Christ.

Leader: Pray quietly. Talk to Jesus about listening to God's word. Ask the Holy Spirit to guide you in welcoming God's word into your heart.

♫ Take the Word of God with You

Take the word of God with you
as you go.
Take the seeds of God's word
and make them grow.

Go in peace to serve the world,
in peace to serve the world.
Take the love of God, the
love of God with you as you go.

Celebramos la Liturgia de la Eucaristía

"Demos gracia al Señor, nuestro Dios".

Misal romano

4

"Let us give thanks to the Lord our God."

Roman Missal

We Celebrate the Liturgy of the Eucharist

Nos congregamos

Usa estas páginas para mostrar:

1. cosas por las que das gracias
2. personas por las que das gracias
3. formas en que das gracias.

1

2

Use these pages to show:

1. things I am thankful for
2. people I am thankful for
3. ways I am thankful.

...partimos la palabra de Dios

Marcos 14:22–24

Narrador 1: La Pascua es una fiesta importante que el pueblo judío celebra todos los años. Durante este tiempo santo los judíos se reúnen para recordar todo lo que Dios hizo por ellos. Ellos comparten una comida especial. En esta comida rezan.

Narrador 2: En la noche antes de Jesús morir, él y sus discípulos celebraron la pascua.

Lector: Esto fue lo que Jesús hizo y dijo durante la comida: "Durante la cena, Jesús tomó pan, pronunció la bendición, lo partió, lo dio a sus discípulos y dijo: Tomen, esto es mi cuerpo. Tomó luego un cáliz, pronunció la oración de gracias, lo dio a sus discípulos y bebieron todos de él. Y él dijo: Esta es mi sangre, la sangre de la alianza derramada por todos". (Marcos 14:22–24)

Narrador 1: Esta fue la última comida que Jesús compartió con sus discípulos antes de morir. Llamamos última cena a esta comida.

Narrador 2: En la última cena Jesús nos dio el regalo de la Eucaristía. La Eucaristía es el sacramento del Cuerpo y la Sangre de Jesucristo.

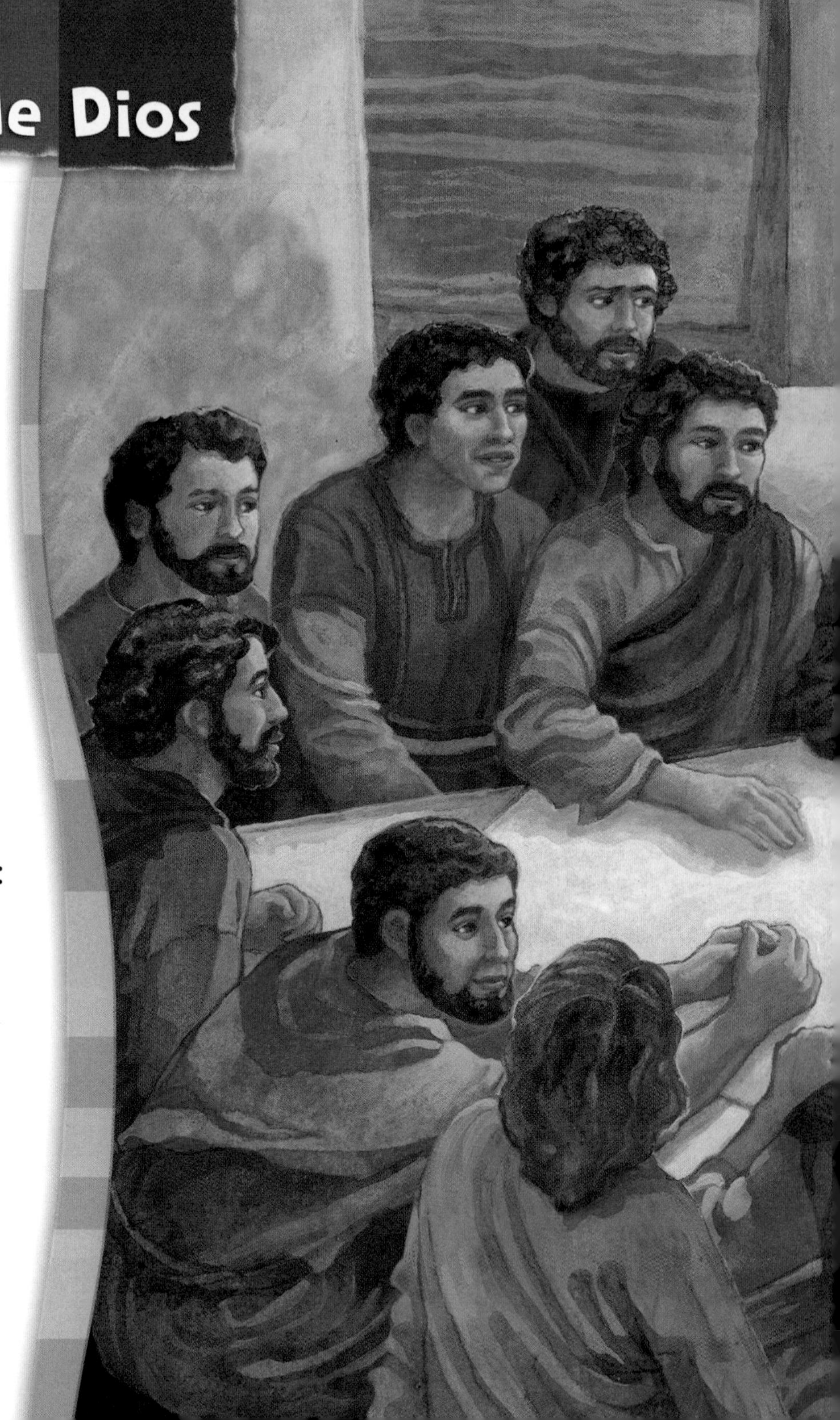

We Share God's Word

Mark 14:22–24

Narrator 1: Passover is an important feast that the Jewish people celebrate every year. During this holy time Jews gather together to remember all that God did for them. They share a special meal. At the meal they say prayers of blessing.

Narrator 2: On the night before Jesus died, he and his disciples were getting ready to celebrate the Passover.

Reader: Here is what Jesus said and did at the meal. "While they were eating, he took bread, said the blessing, broke it, and gave it to them, and said, 'Take it; this is my body.' Then he took a cup, gave thanks, and gave it to them, and they all drank from it. He said to them, 'This is my blood.'"
(Mark 14:22–24)

Narrator 1: This was the last meal Jesus shared with his disciples before he died. We call this meal the Last Supper.

Narrator 2: At the Last Supper Jesus gave us the gift of the Eucharist. The Eucharist is the sacrament of the Body and Blood of Jesus Christ.

Creemos y celebramos

Jesús pidió a sus discípulos recordar lo que él había hecho en la última cena. El les pidió recordar y celebrar esta comida especial una y otra vez. El dijo: "Hagan esto en memoria mía". (Lucas 22:19). Hacemos lo que Jesús pidió cada vez que celebramos la Eucaristía.

La misa es la celebración de la Eucaristía. La palabra *eucaristía* significa "dar gracias". En la misa, damos gracias a Dios y lo alabamos.

La **Liturgia de la Eucaristía** es la parte de la misa en la que el pan y el vino se convierten en el Cuerpo y la Sangre de Jesucristo. La Liturgia de la Eucaristía empieza cuando el sacerdote prepara el altar. Los miembros de la asamblea ofrecen las ofrendas de pan y vino. Recordamos los muchos dones que Dios nos ha dado. Nos preparamos para ofrecer esos regalos y nosotros mismos a Dios. La palabra *ofrenda* significa "dar" o "presentar".

El sacerdote o el diácono acepta las ofrendas de pan y vino. El las lleva al altar. Prepara las ofrendas haciendo oraciones especiales. Respondemos: "Bendito seas por siempre Señor". Entonces rezamos junto con el sacerdote para que el Señor acepte las ofrendas.

La Liturgia de la Eucaristía

- Preparación de las ofrendas
- Oración sobre las ofrendas
- Plegaria eucarística
- Rito de comunión

We Believe and Celebrate

Jesus told his disciples to remember what he had done at the Last Supper. He told them to remember and celebrate this special meal again and again. He said, "Do this in memory of me." (Luke 22:19) We do what Jesus asked each time we celebrate the Eucharist.

The Mass is the celebration of the Eucharist. The word *eucharist* means "to give thanks." Throughout the Mass, we give God thanks and praise.

The **Liturgy of the Eucharist** is the part of the Mass in which the bread and wine become the Body and Blood of Jesus Christ. The Liturgy of the Eucharist begins as the priest prepares the altar. Then members of the assembly bring forward the gifts of bread and wine. We remember the many gifts God has given to us. We get ready to offer these gifts and ourselves back to God. The word *offer* means "to give" or "to present."

The priest or deacon accepts the gifts of bread and wine. He brings them to the altar. He prepares the gifts with special prayers. We respond, "Blessed be God for ever." Then we pray with the priest that the Lord will accept these gifts.

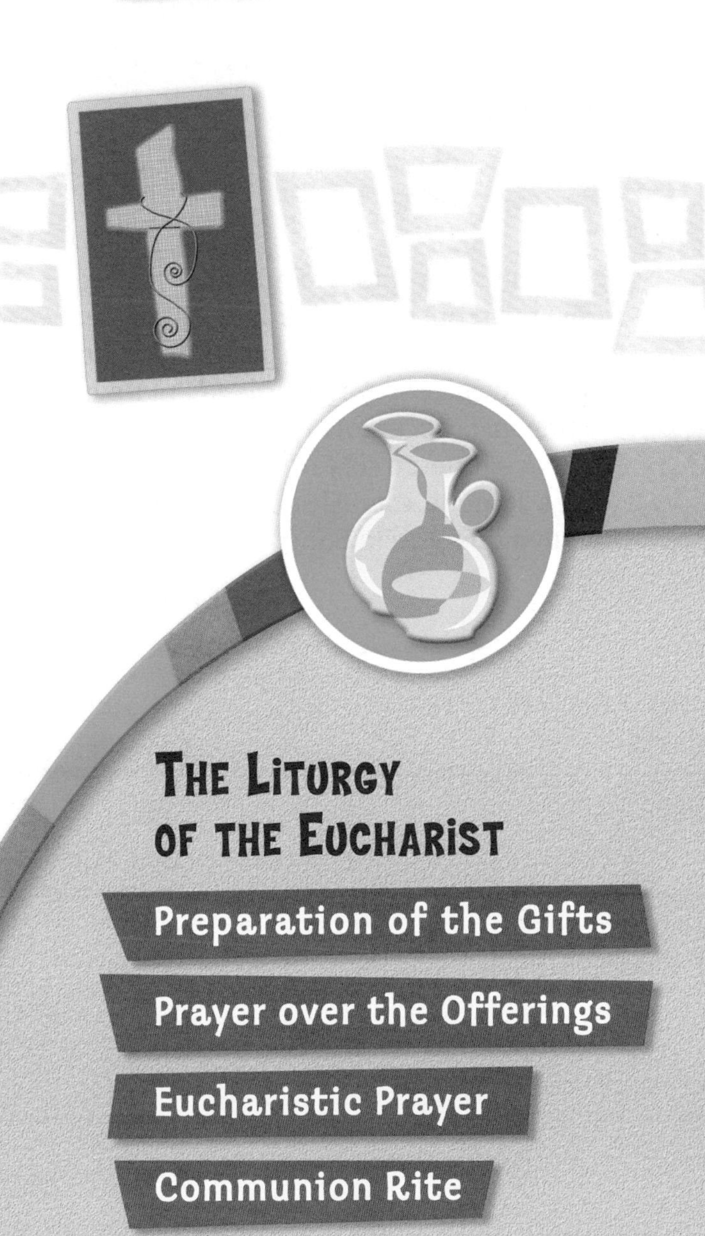

Creemos y celebramos

Cuando celebramos

Sólo un sacerdote que ha recibido el sacramento del Orden puede presidir la Eucaristía y consagrar el pan y el vino. En la misa el sacerdote usa un plato y una copa especiales. El plato es llamado *patena*. El sacerdote coloca el pan de trigo que será el Cuerpo de Cristo en la patena. La copa es llamada *cáliz*. El sacerdote pone el vino de uva que será la Sangre de Cristo en el cáliz.

Durante la Liturgia de la Eucaristía, recordamos que la misa es un sacrificio. Un **sacrificio** es una ofrenda o regalo a Dios. Como sacrificio Jesús ofreció su vida por nosotros en la cruz para salvarnos del pecado. El resucitó para que pudiéramos vivir felices con Dios por siempre. En la misa, Jesús se ofrece de nuevo al Padre.

La Eucaristía se ofrece en reparación de los pecados de los vivos y los muertos. Por medio de ella recibimos de Dios ayuda física y espiritual.

Después de la preparación de las ofrendas, hacemos la **plegaria eucarística**. Esta es la oración de alabanza y acción de gracia más importante de la Iglesia. Nos unimos como miembros de la Iglesia a Cristo y unos con otros.

El sacerdote hace la plegaria eucarística en nombre de toda la Iglesia. El reza a Dios, el Padre, por medio de Jesús y en el Espíritu Santo. Por el poder del Espíritu Santo el sacerdote dice y hace lo que Jesús hizo y dijo en la última cena.

We Believe and Celebrate

Throughout the Liturgy of the Eucharist, we remember that the Mass is a sacrifice. A **sacrifice** is an offering of a gift to God. As a sacrifice, Jesus offered his life for us on the cross to save us from sin. He rose to new life so that we could live happily with God forever. At every Mass, Jesus again offers himself to the Father.

The Eucharist is offered to make up for the sins of the living and the dead. Through it we receive spiritual and physical help from God.

After the gifts are prepared, we pray the Eucharistic Prayer. The **Eucharistic Prayer** is the great prayer of praise and thanksgiving. This prayer is the most important prayer of the Church. It joins the members of the Church to Christ and to one another.

The priest prays the Eucharistic Prayer in the name of the whole Church. He prays to God the Father through Jesus Christ in the Holy Spirit. Through the power of the Holy Spirit the priest says and does what Jesus said and did at the Last Supper.

When We Celebrate

Only a priest ordained through the Sacrament of Holy Orders can preside at the Eucharist and consecrate the bread and wine. At Mass the priest uses a special plate and cup. The plate is called a *paten*. The priest places the wheat bread that becomes the Body of Christ on the paten. The cup is called a *chalice*. The priest pours the grape wine that becomes the Blood of Christ in the chalice.

Creemos y celebramos

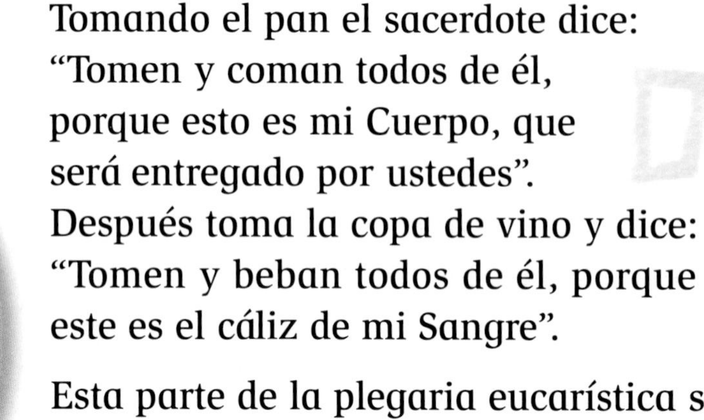

Tomando el pan el sacerdote dice:
"Tomen y coman todos de él,
porque esto es mi Cuerpo, que
será entregado por ustedes".
Después toma la copa de vino y dice:
"Tomen y beban todos de él, porque
este es el cáliz de mi Sangre".

Esta parte de la plegaria eucarística se llama **consagración**.

Por el poder del Espíritu Santo y por medio de las palabras y acciones del sacerdote, el pan y el vino se convierten en el Cuerpo y la Sangre de Cristo. Jesús está realmente presente en la Eucaristía. A esto lo llamamos *presencia real*.

El sacerdote nos invita a proclamar nuestra fe. Rezamos:
"Cada vez que comemos de este pan
y bebemos de este cáliz
anunciamos tu muerte, Señor
hasta que vuelvas".

Rezamos para que el Espíritu Santo una a todos los que creen en Jesús. Terminamos la oración eucarística diciendo "amén". Con esto estamos diciendo "sí creemos". Estamos diciendo "sí" a la oración que el sacerdote ha hecho en nuestro nombre.

Taking the bread the priest says:
"TAKE THIS, ALL OF YOU, AND EAT OF IT,
FOR THIS IS MY BODY WHICH WILL BE GIVEN UP FOR YOU."
Then taking the cup of wine he says:
"TAKE THIS, ALL OF YOU, AND DRINK FROM IT,
FOR THIS IS THE CHALICE OF MY BLOOD. . . ."

This part of the Eucharistic Prayer is called the **consecration**.

By the power of the Holy Spirit and through the words and actions of the priest, the bread and wine become the Body and Blood of Christ. Jesus Christ is really present in the Eucharist. We call this the *Real Presence*.

The priest invites us to proclaim our faith. We may pray:
"When we eat this Bread and drink this Cup
we proclaim your Death, O Lord,
until you come again."

We pray that the Holy Spirit will unite all who believe in Jesus. We end the Eucharistic Prayer by praying "Amen." When we do this, we are saying "Yes, I believe." We are saying "yes" to the prayer the priest has prayed in our name.

Respondemos

Usa estas páginas para mostrar como:

durante la misa del domingo darás gracias a Dios especialmente por . . .

durante esta semana tu familia dará gracias a Dios especialmente por . . .

Use these pages to show how:

During this Sunday's Mass I will thank God especially for . . .

During this week, my family will thank God especially for . . .

Respondemos en oración

Líder: Vamos a elevar nuestras mentes y corazones en oración mientras cantamos.

Porque nos invitas

Porque nos invitas, venimos a tu altar,
oímos tu palabra, comemos de tu pan;
oímos tu palabra, comemos de tu pan.

Hijos de la Iglesia, fraterna comunión,
tu muerte celebramos, y tu resurrección;
tu muerte celebramos, y tu resurrección.

Tu palabra es vida y es luz del corazón,
tu pan es sacramento del más sublime amor,
tu pan es sacramento del más sublime amor.

Líder: Jesús, gracias por el regalo de ti mismo en la Eucaristía.

Todos: Jesús, te damos gracias.

Líder: Jesús, gracias por tu gran sacrificio. Gracias por dar tu vida por nosotros y salvarnos del pecado.

Todos: Jesús, te damos gracias.

Líder: Mientras ______________ (nombre) se prepara para recibir a Jesús en la Eucaristía por primera vez, te pedimos tu bendición.

> "N., que el Señor Jesús toque tus oídos para recibir su palabra, y tu boca para proclamar su fe. Que tú vengas con gozo a su cena para alabanza y gloria de Dios".

Todos: Amén, Jesús, te damos gracias.

We Respond in Prayer

✝ **Leader:** Let us lift our minds and hearts in prayer as we sing together.

♫ We Remember You

Jesus, we remember you.
Jesus, we remember you.
We remember you gave your life for us.
We remember. We believe.

We praise you, we remember you.
We bless you, we remember you,
And we thank you that we belong to you.
We remember.
We believe.

Leader: Jesus, thank you for the gift of yourself in the Eucharist.

All: Jesus, we thank you.

Leader: Jesus, thank you for your great sacrifice. Thank you for giving your life for us to save us from sin.

All: Jesus, we thank you.

Leader: As ______________________ (name or names) prepares to receive Jesus in the Eucharist for the first time, we ask for your blessing.

"N., may the Lord Jesus touch your
ears to receive his word,
and your mouth to proclaim his faith.
May you come with joy to his supper
to the praise and glory of God."

All: Amen. Jesus, we thank you.

Recibimos el Cuerpo y la Sangre de Cristo

"Dichosos los invitados a la cena Señor".

Misal romano

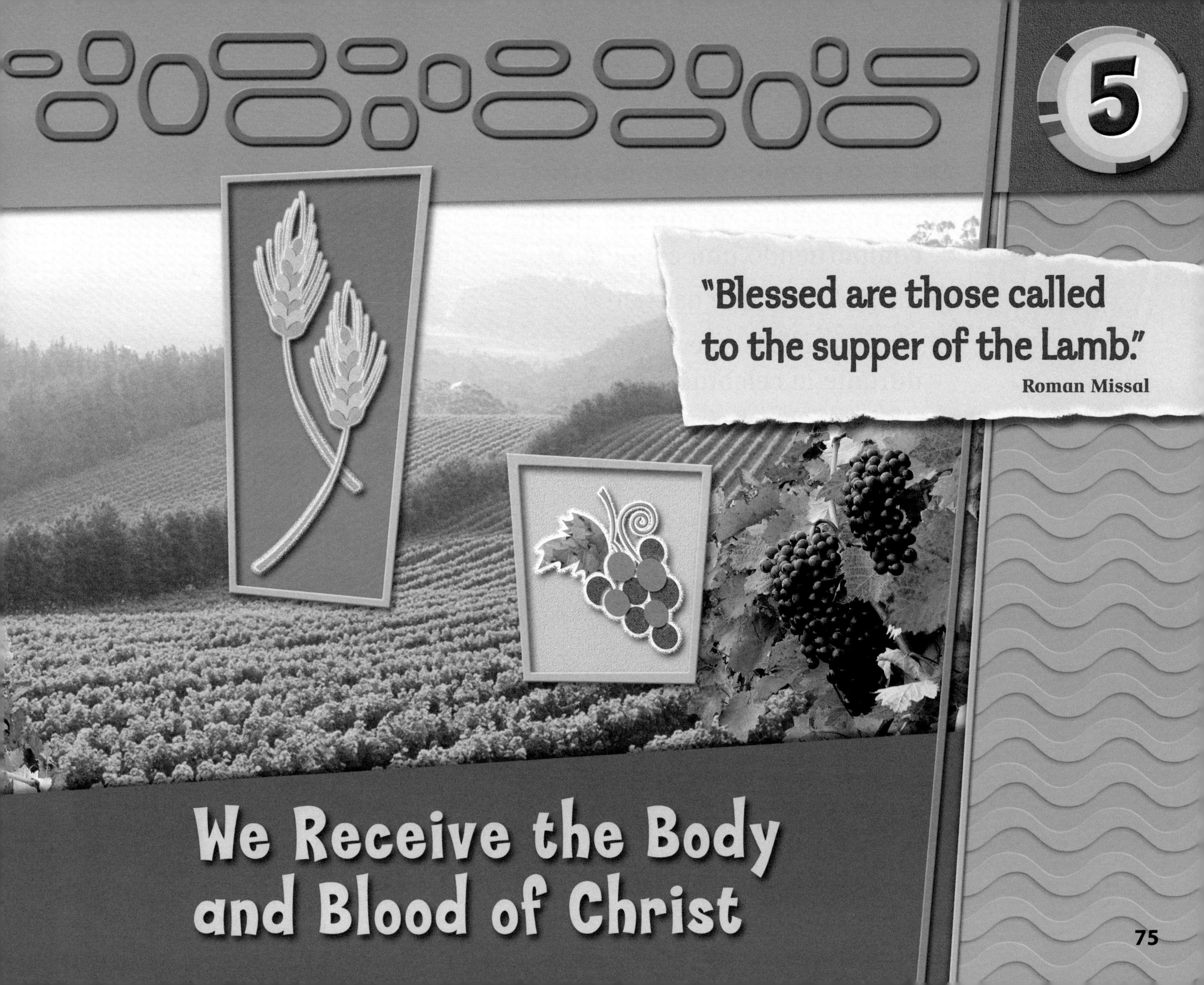

5

"Blessed are those called to the supper of the Lamb."

Roman Missal

We Receive the Body and Blood of Christ

Nos congregamos

Usa estas páginas para mostrar:

1. un evento que mi familia celebró compartiendo una comida
2. las personas que asistieron
3. algunas cosas que hicimos durante la celebración.

1

2

Use these pages to show:

1. a special event my family celebrated
2. the people who celebrated
3. things we did at our celebration.

We Gather

Compartimos la palabra de Dios

Antes de regresar con su Padre en el cielo, Jesús visitó a sus discípulos.

 Lucas 24:13–35

Lector 1: Jesús resucitó un domingo. Esa tarde dos de sus discípulos caminaban hacia Emaús. Este es un pueblo cerca de Jerusalén.

Lector 2: Jesús se encuentra con los discípulos. Empieza a hablar con ellos. Ellos no lo reconocieron.

Lector 3: Jesús le preguntó de que hablaban. Ellos le dijeron todo lo que había pasado en los últimos tres días. Que Jesús había sido crucificado, que había muerto y que lo enterraron y que su cuerpo había desaparecido de la tumba.

Lector 4: Estaba oscureciendo cuando llegaron al pueblo. Los discípulos le pidieron a Jesús que se quedara con ellos. El lo hizo. “Cuando estaba sentado a la mesa con ellos, tomó el pan, lo bendijo, lo partió y lo dio a ellos”. (Lucas 24:30)

Lector 5: Entonces los discípulos lo reconocieron. Jesús había estado con ellos todo el tiempo “y como lo habían reconocido al partir el pan”. (Lucas 24:35)

We Share God's Word

Before he returned to his Father in heaven, the risen Jesus often visited his disciples.

 Luke 24:13–35

Reader 1: It was the Sunday that Jesus had risen from the dead. Two of Jesus' disciples were walking to Emmaus, a town near Jerusalem.

Reader 2: A man met the disciples on the road. He started walking with them. They did not know that this man was the risen Jesus.

Reader 3: The disciples told him that they were talking about the past three days. Jesus was crucified, died, and was buried. And now his body was missing from the tomb.

Reader 4: It was getting dark when they reached the town. The disciples asked the man to stay with them. He did stay. "While he was with them at table, he took bread, said the blessing, broke it, and gave it to them." (Luke 24:30)

Reader 5: Then the disciples recognized that this man was the risen Jesus! They knew him "in the breaking of the bread." (Luke 24:35)

Creemos y celebramos

En la Liturgia de la Eucaristía, después de la oración eucarística, nos preparamos para recibir a Jesús en la comunión. Nuestras ofrendas de pan y vino son ahora el Cuerpo y la Sangre de Cristo. Recibimos el Cuerpo y la Sangre de Cristo en la comunión.

Nos unimos a toda la Iglesia cuando rezamos en voz alta o cantamos el Padrenuestro.

Entonces el sacerdote nos recuerda las palabras de Jesús en la última cena. Jesús dijo: "Les dejo la paz, mi paz les doy". (Juan 14:27)

Rezamos para que la paz de Cristo esté siempre con nosotros. Compartimos el saludo de la paz con las personas a nuestro alrededor. Cuando hacemos esto mostramos que estamos unidos a Cristo y unos con otros.

In the Liturgy of the Eucharist, after the Eucharistic Prayer, we prepare to receive Jesus himself in Holy Communion. Our gifts of bread and wine have now become the Body and Blood of Christ. And we will receive the Body and Blood of Christ in Holy Communion.

We join ourselves with the whole Church as we pray aloud or sing the Lord's Prayer.

Then the priest reminds us of Jesus' words at the Last Supper. Jesus said, "Peace I leave with you; my peace I give to you." (John 14:27)

We pray that Christ's peace may be with us always. We share a sign of peace with the people who are near us. When we do this we show that we are united to Jesus Christ and to one another.

Creemos y celebramos

Después que compartimos el saludo de la paz rezamos a Jesús, quien ofreció su vida para salvarnos del pecado. Le pedimos perdón y paz. Empezamos la oración con estas palabras:

"Cordero de Dios, que quitas el pecado del mundo,
ten piedad de nosotros".

Mientras rezamos el Cordero de Dios, el sacerdote parte el pan, la Hostia, que es el Cuerpo de Cristo.

Después que rezamos el Cordero de Dios, el sacerdote nos invita a recibir a Jesucristo en la comunión. El sacerdote dice:

"Este es el Cordero de Dios que quita el pecado del mundo. Dichosos los invitados a la cena del Señor".

Juntos con el sacerdote rezamos:
"Señor, no soy digno de que entres en mi casa,
pero una palabra tuya bastará para sanarme".

Entonces nos paramos a recibir a Jesús en la comunión. Cuando la persona se acerca el sacerdote, el diácono o el ministro extraordinario de la comunión, levanta la Hostia.

After we share a sign of peace, we pray to Jesus who sacrificed his life to save us from sin. We ask him for forgiveness and peace. We begin the prayer with these words:

"Lamb of God, you take away
the sins of the world,
have mercy on us."

As we pray the Lamb of God, the priest breaks the Bread, the Host, that has become the Body of Christ.

After we pray the Lamb of God, the priest invites us to receive Jesus Christ in Holy Communion. The priest says,

"Behold the Lamb of God,
behold him who takes away the sins of the world.
Blessed are those called to the supper of the Lamb."

Together with the priest we pray,
"Lord, I am not worthy that you should enter under my roof,
but only say the word and my soul shall be healed."

Then we go forward with love and respect to receive Jesus in Holy Communion.

As each person approaches, the priest, deacon, or extraordinary minister of Holy Communion raises the Host.

Creemos y celebramos

La persona hace una reverencia. El sacerdote, el diácono o el ministro extraordinario dice: “El Cuerpo de Cristo”. La persona responde: “Amén”. Y recibe la Hostia.

Si la persona va a recibir el cáliz, el sacerdote, el diácono o el ministro extraordinario de la comunión, levanta el cáliz. La persona hace una reverencia. El sacerdote, el diácono o el ministro extraordinario dice:
“La Sangre de Cristo”. La persona responde: “Amén” y bebe de la copa.

Mientras la asamblea recibe el Cuerpo y la Sangre de Cristo cantamos un himno de acción de gracias. Estamos unidos con toda la Iglesia.

Generalmente hay un tiempo de tranquilidad. Durante ese tiempo recordamos que Jesús está con nosotros. Damos gracias a Jesús por el regalo de sí mismo en la comunión.

The person bows his or her head. The priest, deacon, or extraordinary minister says,"The Body of Christ." The person responds "Amen" and then receives the Host.

If the person is receiving from the chalice, the priest, deacon, or extraordinary minister of Holy Communion raises the chalice. The person bows his or her head. The priest, deacon, or extraordinary minister says, "The Blood of Christ." The person responds "Amen" and drinks from the cup.

As the gathered assembly receives the Body and Blood of Christ, we sing a song of thanksgiving. We are united with the whole Church.

Then there is usually some quiet time. During this time we remember that Jesus is present within us. We thank Jesus for the gift of himself in Holy Communion.

Respondemos

Usa estas páginas para mostrar formas en que:

1. personas de tu parroquia que te ayudan a preparar para tu primera comunión
2. como agradeces a esas personas
3. estarán contigo cuando recibas tu primera comunión.

Use these pages to show:

1. people in your parish helping you to prepare for your First Holy Communion
2. ways to thank them
3. people who will be with you as you receive First Holy Communion.

Respondemos en oración

Líder: Vamos a rezar el Padrenuestro. Mientras rezamos vamos a recordar que en la Eucaristía nos unimos a Jesús y a toda la Iglesia.

Todos: Padre nuestro.

Líder: Vamos a rezar por el pueblo de nuestra parroquia, quien nos ayuda a preparar para la primera comunión.

Todos: Jesús, gracias por nuestra comunidad parroquial que nos ayuda durante este tiempo especial.

Líder: Jesús dijo: "Yo soy el pan de vida". (Juan 6:35) Necesitamos el pan para vivir y crecer. Necesitamos de Jesús para acercarnos a Dios y compartir la vida de Dios. En la comunión recibimos a Jesús, el Pan de Vida. Vamos a hacer una reverencia y dar gracias por el don de Jesús mismo en la comunión.

Todos: Jesús, te damos gracias por el regalo de ti mismo en la comunión.

Líder: Vamos a cantar

♫ Tan cerca de mí

Tan cerca de mí, tan cerca de mí
que hasta te puedo tocar, Jesús está aquí.

Ya no busco a Cristo en las alturas
ni le buscaré en la oscuridad
dentro de mi ser, en mi corazón
siento que Jesús conmigo está.

Gracias

We Respond in Prayer

✝ **Leader:** Let us pray together the Lord's Prayer. As we pray, let us remember that through the Eucharist we are joined to Jesus and the whole Church.

All: Our Father . . . .

Leader: Let us pray for the people of our parish who are helping us prepare for First Holy Communion.

All: Jesus, thank you for our parish community's help during this special time.

Leader: Jesus said, "I am the bread of life." (John 6:35) We need bread to live and grow. We need Jesus to grow closer to God and to share in God's life. In Holy Communion, we receive Jesus, the Bread of Life. Let us bow our heads and thank Jesus for the gift of himself in Holy Communion.

All: Jesus, thank you for the gift of yourself in Holy Communion.

Leader: Let us sing together.

♫ Jesus, You Are Bread for Us

Jesus, you are bread for us.
Jesus, you are life for us.
In your gift of Eucharist we find love.
When we feel we need a friend,
you are there with us, Jesus.
Thank you for the friend
you are.
Thank you for the love
we share.

Amamos y servimos al Señor

"La bendición de Dios Padre todopoderoso".

Misal romano

6
"May almighty God bless you."
Roman Missal
We Love and Serve the Lord

Nos congregamos

Usa estas páginas para mostrar:

1. formas en que tu familia muestra su amor y preocupación por los demás
2. formas en que tus amigos se preocupan por los demás.

Use these pages to show:

1. ways your family shows love and care for others
2. ways your friends care for others.

Compartimos la palabra de Dios

 (Mateo 28:16-20)

Lector 1: Después que Jesús resucitó, los once discípulos se reunieron en una montaña en Galilea. Jesús les había enviado a decir que se encontraran con él ahí.

Lector 2: Cuando los discípulos vieron a Jesús no podían creer lo que veían. Jesús les dijo: "Dios me ha dado autoridad plena sobre cielo y tierra. Vayan y hagan discípulos a todos los pueblos y bautícenlos para consagrarlos al Padre, al Hijo y al Espíritu Santo". (Mateo 28:18-19)

Lector 1: Jesús quería que sus discípulos compartieran el amor de Dios con todos. Jesús quería que sus discípulos enseñaran a otros como ser sus seguidores y amigos.

Lector 2: Entonces Jesús les prometió que él siempre estaría con ellos. El les dijo: "Sepan que yo estoy con ustedes todos los días". (Mateo 28:20)

We Share God's Word

Matthew 28:16–20

Reader 1: After Jesus had risen from the dead, eleven of his disciples gathered on a mountain in Galilee. Jesus had sent them a message to meet him there.

Reader 2: When the disciples saw Jesus, they could hardly believe their eyes. Then Jesus said, "All power in heaven and on earth has been given to me. Go, therefore, and make disciples of all nations, baptizing them in the name of the Father, and of the Son, and of the holy Spirit."
(Matthew 28:18–19)

Reader 1: Jesus wanted his disciples to share God's love with all people. Jesus wanted his disciples to teach others how to be his followers and friends.

Reader 2: Then Jesus promised his disciples that he would always be present with them. He said, "I am with you always." (Matthew 28:20)

Creemos y celebramos

Cuando celebramos

La palabra *misa* significa "enviar". El sacerdote o el diácono nos envía a seguir el trabajo de Jesús cuando nos dice:

- "Podéis ir en paz".
- "La alegría del Señor sea nuestra fuerza. Podéis ir en paz".
- "En el nombre del Señor, podéis ir en paz".

Jesús envió a sus discípulos a continuar su trabajo. Somos discípulos de Jesús. El quiere que sigamos haciendo su trabajo. El quiere que compartamos el amor de Dios con otros en nuestros hogares, escuelas, parroquias, vecindarios, ciudades, pueblos y en todo el mundo. La gracia de Dios nos ayuda a hacer todo lo que él nos pide.

La celebración de la misa termina con el **Rito de Conclusión.** Al final de la misa junto con el sacerdote pedimos al Señor que esté con nosotros. Entonces el sacerdote nos bendice diciendo:

"La bendición de Dios todopoderoso,
Padre, Hijo, † y Espíritu Santo,
desciendа sobre vosotros".

Respondemos: "Amén".

El sacerdote o el diácono nos envía a compartir el amor de Dios con otros. El dice: "Podéis ir en paz".

Respondemos: "Demos gracias a Dios".

We Believe and Celebrate

Jesus sent his disciples out to continue his work. We are disciples of Jesus. He wants us to keep doing his work, too. He wants us to share God's love with others in our homes, schools, parishes, neighborhoods, cities or towns, and throughout the world. God's grace helps us to do all that he asks.

The celebration of the Mass ends with the **Concluding Rites**. At the end of Mass, together with the priest, we ask the Lord to be with us. Then the priest gives us a blessing. He says,

"May almighty God bless you, the Father, and
the Son, † and the Holy Spirit."

We respond, "Amen."

Then the priest or deacon sends us out to share God's love with others. He may say,
"Go in peace."

We respond, "Thanks be to God."

When We Celebrate

The word *Mass* comes from a word that means "to send out." The priest or deacon sends us out to continue Jesus' work by saying one of the following:

- "Go in peace."
- "Go and announce the Gospel of the Lord."
- "Go forth, the Mass is ended."

Creemos y celebramos

Cantamos un himno y todos salimos de la iglesia. Durante la semana recordamos la promesa de Jesús de que estará siempre con nosotros.

Cada domingo nos unimos a Jesús y a toda la Iglesia en el sacramento de la Eucaristía. Recibimos a Jesús en la comunión y nuestra amistad con él crece. Los pecados veniales nos son perdonados y nos ayuda a alejarnos de pecados serios.

Por medio del Espíritu Santo, Jesús está con nosotros mientras continuamos su trabajo en la semana. EL recibir a Jesús en la comunión nos ayuda amar a Dios y a los demás. Nos fortalecemos como discípulos de Jesús. Esto nos ayuda a unirnos en amor a nuestra comunidad parroquial para servir a Dios y a otros.

We Believe and Celebrate

We sing a song as everyone leaves the church. All through the week we remember Jesus' promise to be with us always.

Every Sunday we are joined to Jesus and the whole Church in the Sacrament of the Eucharist. We receive Jesus in Holy Communion, and our friendship with him grows. Our venial sins are forgiven and we are helped to stay away from serious sin.

Through the Holy Spirit, Jesus is with us as we continue his work all through the week. Receiving Jesus in Holy Communion helps us to love God and others. We become stronger disciples of Jesus. This helps us to join our parish community in loving and serving God and others.

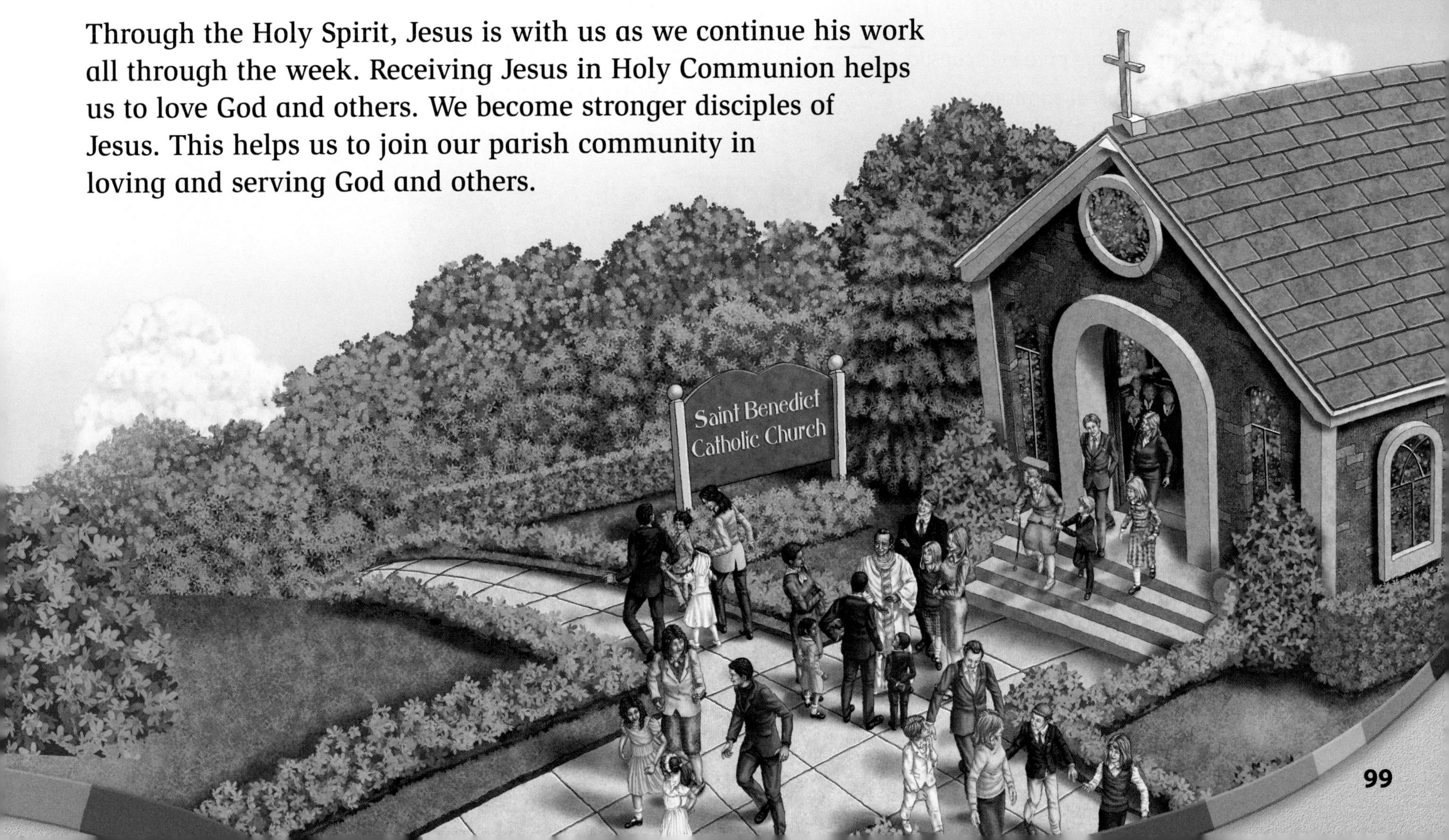

Santísimo Sacramento

La Hostias que no fueron consumidas durante la misa son colocadas en el tabernáculo y se le llama Santísimo Sacramento. Santísimo Sacramento es otro nombre para la Eucaristía.

Podemos visitar a Jesús, el Santísimo Sacramento en la iglesia. Podemos pedir a Jesús que nos ayude a amar y cuidar de los demás.

Podemos amar y servir a Dios y a los demás de muchas formas. Estas son algunas:

- ayudando en la casa y en la escuela
- haciendo algo bueno por un amigo o vecino
- dando comida y ropa para los pobres
- enviando tarjetas o visitando a un enfermo
- rezando por otros, especialmente los pobres y los que no tienen comida
- perdonando y pidiendo perdón.

We can love and serve God and others in many ways. Here are a few of those ways:

- ✦ help out at home or in school
- ✦ do something kind for a friend or neighbor
- ✦ give to a food or clothing drive
- ✦ send a get-well card or make a visit to someone who is sick
- ✦ pray for others, and especially people who are poor or hungry
- ✦ forgive others or ask for their forgiveness.

We Believe and Celebrate

Most Blessed Sacrament

At Mass, after Holy Communion, there may be consecrated Hosts that have not been received. These Hosts are placed in the tabernacle and are called the Most Blessed Sacrament. The Most Blessed Sacrament is another name for the Eucharist.

We can visit the church and pray to Jesus who is present in the Most Blessed Sacrament. We can ask Jesus to help us love and care for others.

Respondemos

Nuestra parroquia y familia pueden ayudar a otros. Usa estas páginas para mostrar:

1. las cosas que harán
2. la oración de tu familia por la paz
3. algunas formas en que tu familia compartirá la paz de Cristo esta semana.

Our parish community and family join in helping others. Use these pages to show:

1. things your family can do this week
2. your family's prayer for peace
3. some ways your family will share Christ's peace this week.

Respondemos en oración

✝ **Líder:** Jesús, este es un tiempo muy especial para nosotros. Nos estamos preparando para recibir nuestra primera comunión. Ayúdanos a compartir los dones de amor y paz de Dios con otros durante este tiempo tan especial.

Todos: Jesús, somos tus amigos y seguidores. Ayúdanos a recordar que tú estás con nosotros ahora y siempre.

Líder: Vamos a bajar nuestras cabezas para pedir a Dios que nos bendiga.

Que Dios Padre,
Jesucristo, el Hijo de Dios, y
Dios Espíritu Santo nos bendigan.

Todos: Amén.

Líder: Nos vamos en paz y nos amamos unos a otros.

Todos: Demos gracias a Dios.

♫ La misa no termina

La misa no termina aquí en la iglesia.
Ahora la empezamos a vivir. (bis)

Porque en la vida, cada día,
recordaremos lo que aquí hemos vivido
y aprendido a compartir

Hemos de ser la levadura,
hemos de ser semilla y luz.
Junto a nosotros, caminando,
viene Jesús.

We Respond in Prayer

✝ **Leader:** Jesus, this is a very special time for us. This is because we are getting ready to receive our First Holy Communion. Help us to share God's gifts of love and peace with others during this special time.

All: Jesus, we are your friends and followers. Help us to remember that you are with us now and always.

Leader: Let us bow our heads and ask for God's blessing.

May God the Father,
Jesus Christ, the Son of God,
and God the Holy Spirit bless us.

All: Amen.

Leader: Let us go now in
peace to love one another.

All: Thanks be to God.

♫ Take the Word of God with You

Take the peace of God with you
as you go.

Take the seeds of God's peace
and make them grow.

Chorus
Go in peace to serve the world,
in peace to serve the world.
Take the love of God, the love of God
with you as you go.

Other Verses
- Take the joy of God with you as you go.
- Take the love of God with you
as you go.

Como recibir a Jesús en la comunión

Cuando recibimos el pan consagrado, la Hostia, lo hacemos de la siguiente forma:
Camino hacia el altar con las manos recogidas.

Pienso en Jesús, a quien voy a recibir.

Cuando llega mi turno, el sacerdote o el ministro de la Eucaristía levanta la Hostia y bajo la cabeza.

Cuando escucho las palabras "el Cuerpo de Cristo", respondo: "Amén".

Puedo escoger recibir la Hostia en mis manos o en la boca.

Si decido tomar la Hostia en mis manos coloco la mano izquierda encima de la mano derecha (lo opuesto si soy zurdo). Después que la Hostia es puesta en mi mano me pongo a un lado, pongo la Hostia en mi boca y la trago. Regreso a mi lugar.

Si decido tomar la Hostia en mi boca, saco la lengua un poco. Cuando la Hostia es puesta en mi lengua me pongo a un lado, trago la Hostia y regreso a mi lugar.

- **Bajo la cabeza.**
- **Recibo la Hostia en mi mano o en la boca.**
- **Recibo del cáliz.**

How to Receive Jesus in Holy Communion

When I receive the consecrated bread, or Host, this is what I do:

I walk to the altar with hands joined.

I think about Jesus, whom I will receive.

As my turn comes, the priest, deacon, or extraordinary minister of Holy Communion raises the Host, and I bow my head.

When I hear the words, "The Body of Christ," I respond, "Amen." I can choose to receive the Host in my hand or on my tongue.

If I choose to receive the Host in my hand, I cup my left hand on top of my right hand (or the opposite if I am left-handed). After the Host is placed in my hand, I step to the side and carefully place it in my mouth.
I swallow the Host and return to my seat.

If I choose to receive the Host on my tongue, I hold my head up and gently put out my tongue. After the Host is placed on my tongue, I step to the side, swallow it, and return to my seat.

- I bow my head.
- I receive the Host in my hand or on my tongue.
- I receive from the chalice.

Si voy a recibir el cáliz, primero trago la Hostia. Me acerco al sacerdote o ministro de la Eucaristía que sostiene el cáliz.

El sacerdote o el ministro levanta el cáliz y yo bajo la cabeza.

Cuando escucho las palabras "La Sangre de Cristo", respondo: "Amén".

Tomo el cáliz y bebo un sorbo.

Después de recibir la comunión:

Canto junto con toda la asamblea un himno.

Paso un momento en silencio.

Ayuno eucarístico

Como señal de respeto y reverencia por Jesús en la Eucaristía, no comemos ni tomamos nada una hora antes de comulgar. Esto es llamado ayuno eucarístico. Se puede tomar agua y medicinas.

Viviendo una vida sacramental

Al celebrar el sacramento de la Reconciliación y recibir la comunión con frecuencia, cumplimos las leyes de la Iglesia que dicen que debemos recibir la comunión por lo menos una vez al año durante la Cuaresma o Pascua de Resurrección. Debemos confesar por lo menos una vez al año si hemos cometido pecado mortal.

If I am going to receive from the chalice, I first swallow the Host. I move to the priest or extraordinary minister of Holy Communion holding the chalice.

The priest, deacon, or extraordinary minister raises the chalice, and I bow my head.

When I hear the words, "The Blood of Christ," I respond, "Amen."

Then I take a sip from the chalice.

After I receive Communion, this is what I do:

Sing the Communion chant, or song, with my parish family.

Spend time in quiet prayer.

Eucharistic Fast

As a sign of respect and reverence for Jesus in the Eucharist, we must have not taken any food or drink for one hour before receiving Holy Communion. This is called the eucharistic fast. Water and medicine may be taken during the eucharistic fast.

Leading a Sacramental Life

Receive Holy Communion often and the Sacrament of Penance regularly. Follow the laws of the Church which say: We must receive Holy Communion at least once a year during the Lenten/Easter season. We must confess our sins once a year if we have committed mortal, or serious, sin.

When we receive Holy Communion, we must always be in the state of grace. Anyone who has committed a mortal sin must receive absolution in the Sacrament of Penance before receiving Holy Communion.

Credo de Nicea

Creo en un solo Dios,
Padre todopoderoso,
creador del cielo y de la tierra,
de todo lo visible y lo invisible.

Creo en un solo Señor, Jesucristo,
Hijo único de Dios,
nacido del Padre antes de todos los siglos,
Dios de Dios, Luz de Luz, Dios verdadero
de Dios verdadero, engendrado, no
creado, de la misma naturaleza
del Padre,
por quien todo fue hecho;
que por nosotros, los hombres, y por
nuestra salvación
bajó del cielo,
y por obra del Espíritu Santo
se encarnó de María, la Virgen
y se hizo hombre;
y por nuestra causa fue crucificado
en tiempos de Poncio Pilato;

padeció y fue sepultado,
y resucitó al tercer día, según las Escrituras,
y subió al cielo,
y está sentado a la derecha
del Padre;
y de nuevo vendrá con gloria
para juzgar a vivos y muertos,
y su reino no tendrá fin.

Creo en el Espíritu Santo,
Señor y dador de vida,
que procede del Padre y del hijo,
que con el Padre y el Hijo
recibe una misma adoración y gloria,
y que habló por los profetas.

Creo en la Iglesia que es una, santa,
católica y apostólica.
Confieso que hay un solo bautismo para el
perdón de los pecados.
Espero la resurrección de los muertos
y la vida del mundo futuro.
Amén.

Nicene Creed

I believe in one God,
the Father almighty,
maker of heaven and earth,
of all things visible and invisible.

I believe in one Lord Jesus Christ,
the Only Begotten Son of God,
born of the Father before all ages.
God from God, Light from Light,
true God from true God,
begotten, not made, consubstantial
with the Father;
through him all things were made.
For us men and for our salvation
he came down from heaven,
and by the Holy Spirit
was incarnate of the Virgin Mary,
and became man.

For our sake he was crucified
under Pontius Pilate,
he suffered death and was buried,
and rose again on the third day
in accordance with the Scriptures.
He ascended into heaven
and is seated at the right hand
of the Father.
He will come again in glory to judge
the living and the dead
and his kingdom will have no end.

I believe in the Holy Spirit, the Lord,
the giver of life,
who proceeds from the Father and the Son,
who with the Father and the Son is
adored and glorified,
who has spoken through the prophets.

I believe in one, holy, catholic
and apostolic Church.
I confess one Baptism for the
forgiveness of sins
and I look forward to the resurrection of the
dead and the life of the world to come.
Amen.

Oración para antes de la comunión

Jesús, eres el Pan de Vida.
Gracias por compartir tu vida conmigo.
Ayúdame siempre a ser tu amigo
y discípulo.

Jesús, ayúdame a acogerte en
mi corazón.
Ayúdame a ser siempre fiel a ti.

Oración para después de la comunión

Jesús, has hecho grandes cosas por mí.
Me llenas con tu vida.
Ayúdame a amarte más y amar más a
los demás.

Jesús, gracias por venir a mí en la
sagrada comunión.
Te amo mucho. Ayúdame a crecer en
tu amor.
Me llenas con tu vida. Ayúdame a hacer
todo lo que me pidas.

Credo de los apóstoles

Creo en Dios, Padre todopoderoso,
Creador del cielo y de la tierra.
Creo en Jesucristo, su único Hijo,
nuestro Señor,
que fue concebido por obra y gracia del
Espíritu Santo,
nació de Santa María Virgen,
padeció bajo el poder de Poncio Pilato,
fue crucificado, muerto y sepultado,
descendió a los infiernos,
al tercer día resucitó de entre los muertos,
subió a los cielos
y está sentado a la derecha de Dios, Padre
todopoderoso.
Desde allí ha de venir a juzgar a vivos y
muertos.
Creo en el Espíritu Santo,
la santa Iglesia católica,
la comunión de los santos,
el perdón de los pecados,
la resurrección de la carne
y la vida eterna. Amén.

Prayer Before Communion

Jesus, you are the Bread of Life.
Thank you for sharing your life with me.
Help me always to be your friend
and disciple.

Jesus, help me to welcome you into
my heart.
Help me to be true to you always.

Prayer After Communion

Jesus, you do such great things for me!
You fill me with your life.
Help me to grow in loving you and others.

Jesus, thank you for coming to me in
Holy Communion.
I love you very much. You come to live
within me.
You fill me with your life.
Help me to be and do all that you wish.

Apostles' Creed

I believe in God, the Father almighty,
Creator of heaven and earth,
and in Jesus Christ, his only Son,
our Lord,
who was conceived by the Holy Spirit,
born of the Virgin Mary,
suffered under Pontius Pilate,
was crucified, died and was buried;
he descended into hell;
on the third day he rose again
from the dead;
he ascended into heaven,
and is seated at the right hand
of God the Father almighty;
from there he will come to judge
the living and the dead.

I believe in the Holy Spirit,
the holy catholic Church,
the communion of saints,
the forgiveness of sins,
the resurrection of the body,
and life everlasting. Amen.

Oración ante el Santísimo Sacramento

Jesús,
eres Dios con nosotros,
especialmente en el sacramento de la Eucaristía. Me amas como soy y me ayudas a crecer.

Ven a estar conmigo
en todas mis alegrías y tristezas.
Ayúdame a compartir tu paz
y amor con todo el mundo.
Lo pido en tu nombre.
Amén.

Padrenuestro

Padre nuestro, que estás en el cielo,
santificado sea tu nombre;
venga a nosotros tu reino;
hágase tu voluntad en la tierra
como en el cielo.
Danos hoy nuestro pan de cada día;
perdona nuestras ofensas,
como también nosotros perdonamos
a los que nos ofenden;
no nos dejes caer en la tentación,
y líbranos del mal.
Amén.

Prayer Before the Most Blessed Sacrament

Jesus,
you are God-with-us,
especially in this Sacrament of the Eucharist.
You love me as I am and help me grow.

Come and be with me
in all my joys and sorrows.
Help me share your peace and love
with everyone I meet.
I ask in your name.
Amen.

Our Father

Our Father, who art in heaven,
hallowed be thy name;
thy kingdom come;
thy will be done on earth
as it is in heaven.
Give us this day our daily bread;
and forgive us our trespasses
as we forgive those
who trespass against us;
and lead us not into temptation,
but deliver us from evil.
Amen.

Visitas al Santísimo Sacramento

Antes de la misa los domingos, o durante otros momentos especiales, toma unos minutos para visitar a Jesús presente en el Santísimo Sacramento. Después de decidir donde sentarte, arrodíllate y en silencio habla con Jesús sobre tus necesidades y tus esperanzas. Agradécele su gran amor. Recuerda rezar por tu familia y tu parroquia, especialmente por los enfermos y necesitados.

Visits to the Blessed Sacrament

Before Mass on Sundays or at other special times, take a few minutes to visit Jesus, present in the Blessed Sacrament. After you have taken your place in church, kneel or sit quietly. Be very still. Talk to Jesus about your needs and your hopes. Thank Jesus for his great love. Remember to pray for your family and your parish, especially anyone who is sick or in need.

Compartimos nuestra fe

Mira las fotos y las afirmaciones y aparéalas. Usalas para decir a tu familia lo que aprendiste en este capítulo.

- Como católicos nos unimos a nuestra comunidad parroquial para celebrar la misa y los sacramentos.
- Por medio del Bautismo nos hacemos hijos de Dios y miembros de la Iglesia.
- En la Confirmación somos sellados con el don del Espíritu Santo y somos fortalecidos.

Habla sobre como los primeros cristianos compartían el amor de Dios.

Organiza las palabras. Usalas para completar las oraciones.

gsIelai	mactsreona	argiac

Llamamos ______________________ a la vida de Dios en nosotros.

La ______________________ es todo el pueblo bautizado en Jesucristo y que sigue sus enseñanzas.

Un ______________________ es un signo especial dado por Jesús.

Sharing Our Faith

Look at the pictures and statements below. Match them. Use each match to tell your family what you learned in this chapter.

As Catholics we gather together in our parish community for Mass and the celebration of the sacraments.

Through Baptism we become children of God and members of the Church.

At Confirmation we are sealed with the Gift of the Holy Spirit and strengthened.

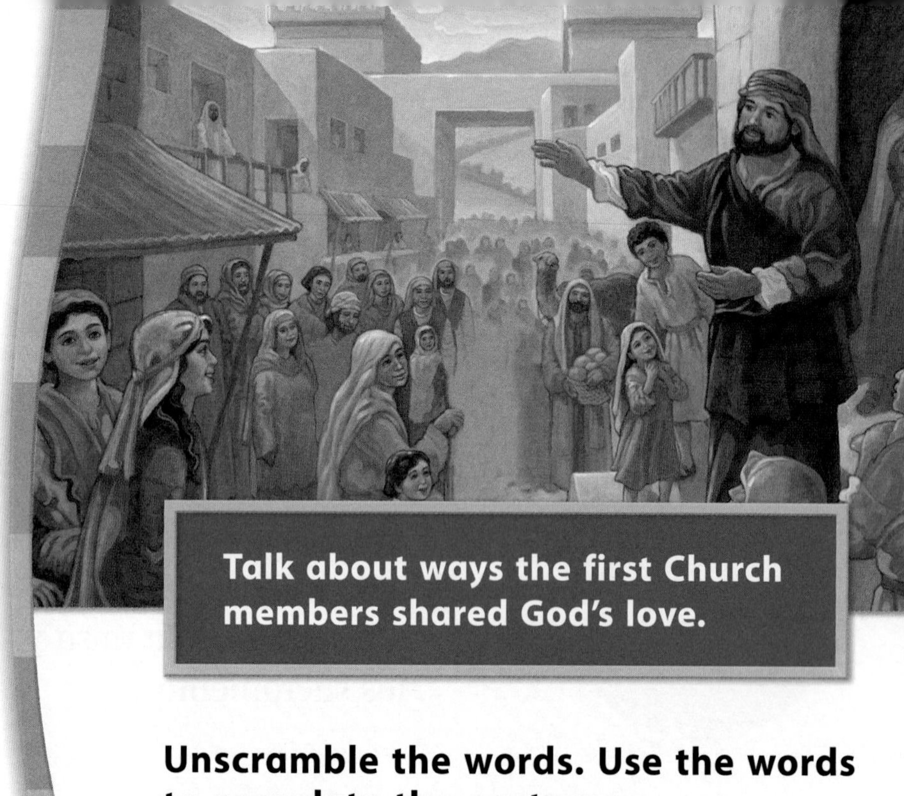

Talk about ways the first Church members shared God's love.

Unscramble the words. Use the words to complete the sentences.

hrCuhc	camtnsrae	acrge

We call God's life in us

______________________.

The ______________________ is all the people who are baptized in Jesus Christ and follow his teaching.

A ______________________ is a special sign given to us by Jesus.

Compartimos nuestra fe

Mira las fotos y las afirmaciones y aparéalas. Usalas para decir a tu familia lo que aprendiste en este capítulo.

Durante los Ritos Iniciales el sacerdote, el diácono y los que ayudan en la misa caminan hacia el altar.

Un sacerdote dirige la asamblea en la celebración de la misa.

Todos los domingos nos reunimos con nuestra comunidad parroquial para alabar a Dios.

Habla sobre como la gente dio la bienvenida a Jesús en Jerusalén.

Encierra en un círculo cada dos letras. La palabra completa la oración.

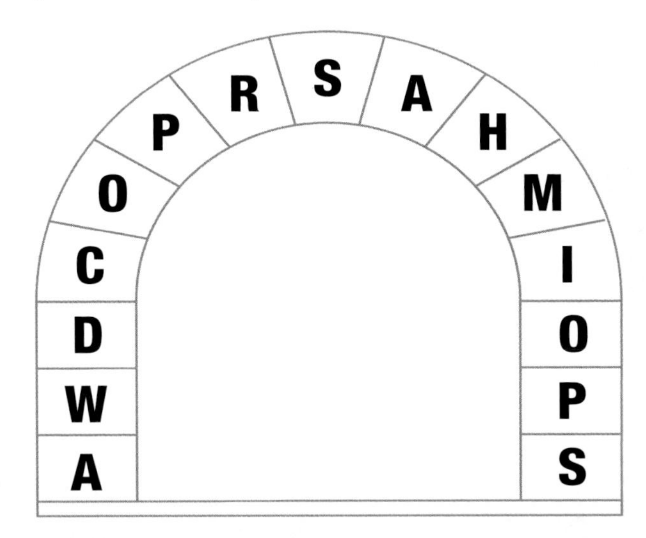

Cuando ____________________ a Dios le estamos dando gracias y alabándolo.

Dibuja a tu familia en la ventana rezando y dando gracias a Dios.

Sharing Our Faith

Look at the pictures and statements below. Match them. Use each match to tell your family what you learned in this chapter.

During the Introductory Rites, the priest, deacon, and others helping at Mass walk to the altar.

A priest leads the gathered assembly in the celebration of the Mass.

Every Sunday we gather with our parish community to worship God.

Talk about what people did to welcome Jesus to Jerusalem.

Circle every other letter. The word completes the sentence.

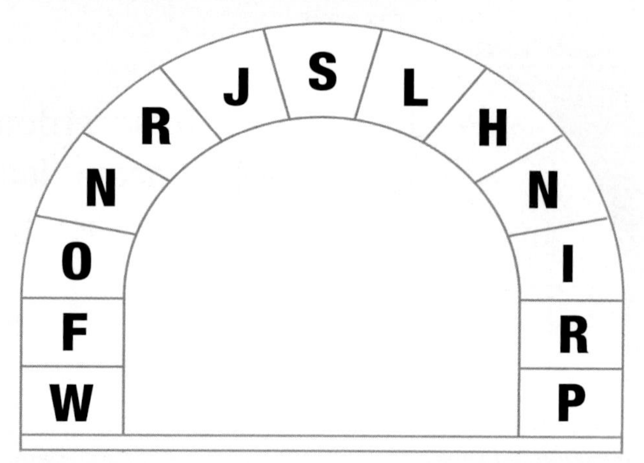

When we ________________ God we "praise and thank" him.

In the window draw your family praising and thanking God.

Compartimos nuestra fe

Mira las fotos y las afirmaciones y aparéalas. Usalas para decir a tu familia lo que aprendiste en este capítulo.

Escuchamos y aprendemos sobre las cosas que Dios hizo por su pueblo antes de nacer Jesús.

Escuchamos el evangelio para aprender la buena nueva de Jesús.

Después de la homilía rezamos el credo, decimos lo que creemos como católicos.

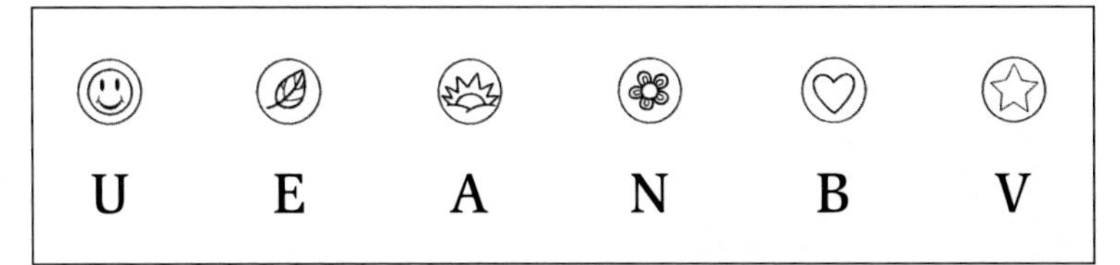

Jesús explicó el significado de la historia del sembrador y la semilla. Habla sobre lo que él dijo.

Usa el código para encontrar la respuesta.

U	E	A	N	B	V

La palabra *evangelio* significa

“___ ___ ___ ___ ___   ___ ___ ___ ___ ___.”

3 Sharing Our Faith

Look at the pictures and statements below. Match them. Use each match to tell your family what you learned in this chapter.

We listen to learn about the things God did for his people before Jesus was born.

We listen to the Gospel to learn the good news about Jesus.

After the homily we pray the Creed, announcing what we believe as Catholics.

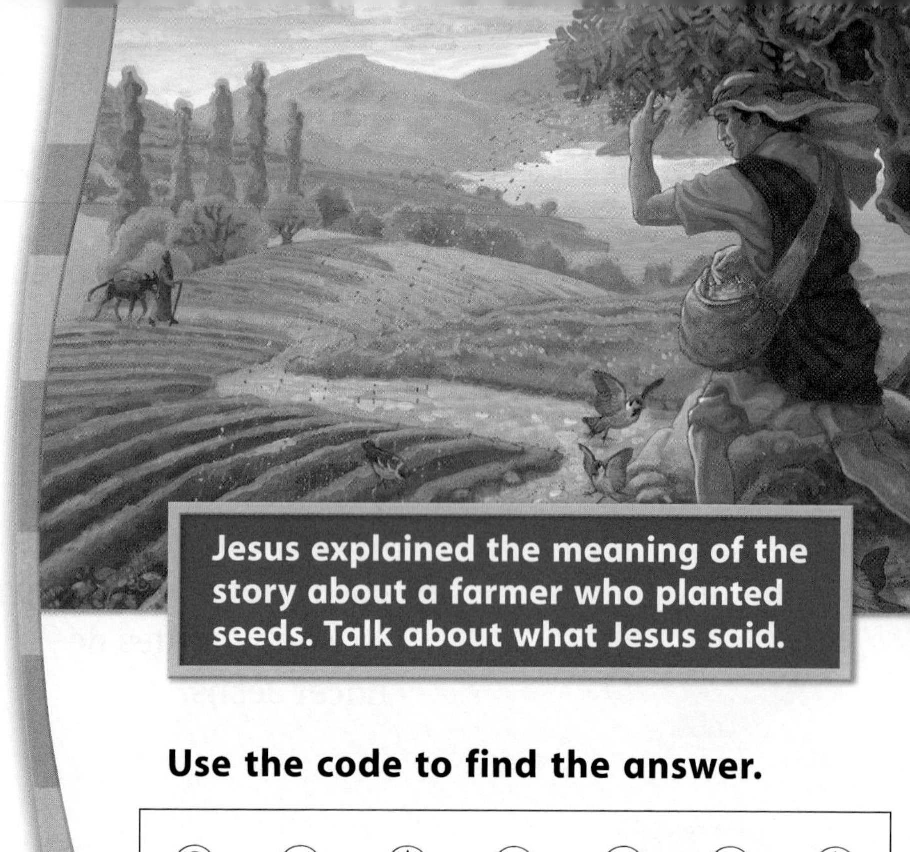

Jesus explained the meaning of the story about a farmer who planted seeds. Talk about what Jesus said.

Use the code to find the answer.

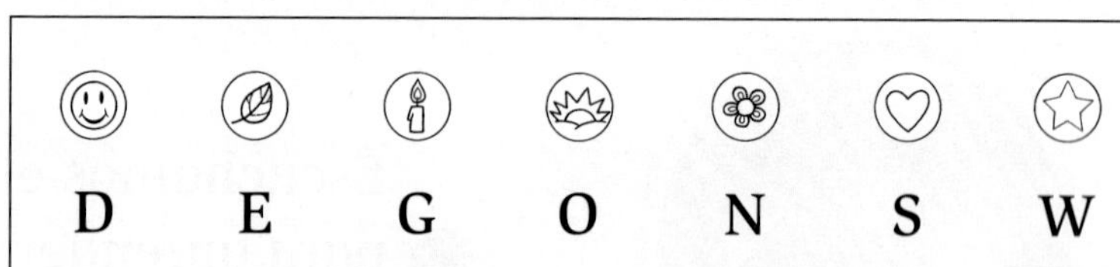

The word *gospel* means

“____ ____ ____ ____ ____ ____ ____ ____.”

4 Compartimos nuestra fe

Mira las fotos y las afirmaciones y aparéalas. Usalas para decir a tu familia lo que aprendiste en este capítulo.

Durante la Liturgia de la Eucaristía los miembros de la asamblea llevan las ofrendas de pan y vino.

En la consagración, por el poder del Espíritu Santo y las palabras y acciones del sacerdote, el pan y el vino se convierten en el Cuerpo y la Sangre de Jesucristo.

Al final de la oración eucarística el sacerdote reza en nombre de toda la Iglesia. Respondemos: "Amén".

Habla sobre lo que hizo Jesús en la última cena.

Encuentra la palabra que completa esta oración. Usa un lápiz de color para colorear los espacios con una "X".

Durante la Liturgia de la Eucaristía el pan y el vino se convierten en el

Cuerpo y la Sangre de ______________.

Sharing Our Faith

Look at the pictures and statements below. Match them. Use each match to tell your family what you learned in this chapter.

During the Liturgy of the Eucharist the members of the assembly bring forward the gifts of bread and wine.

At the consecration, by the power of the Holy Spirit and through the words and actions of the priest, the bread and wine become the Body and Blood of Jesus Christ.

At the end of the Eucharistic Prayer, the priest prays in the name of the whole Church. We respond by praying, "Amen."

Talk about what Jesus did at the Last Supper.

Find the word that completes this sentence. Use one color to fill in the "X" spaces.

During the Liturgy of the Eucharist, the bread and wine become the Body

and Blood of ______________.

Compartimos nuestra fe

Mira las fotos y las afirmaciones y aparéalas. Usalas para decir a tu familia lo que aprendiste en este capítulo.

Después de la oración eucarística rezamos el Padrenuestro y compartimos el saludo de la paz.

Mientras el sacerdote parte el Pan, la Hostia, rezamos el Cordero de Dios. Estamos rezando a Jesús, quien sacrificó su vida para salvarnos del pecado.

Cuando recibimos la comunión recibimos el Cuerpo y la Sangre de Cristo.

Habla de lo que pasó cuando los discípulos y Jesús llegaron a Emaús.

Escribe una oración que puedas decir después de recibir a Jesús en la comunión. Después decora el marco y pega una foto.

____

____

5 Sharing Our Faith

Look at the pictures and statements below. Match them. Use each match to tell your family what you learned in this chapter.

After the Eucharistic Prayer, we pray the Lord's Prayer and share a sign of peace.

As the priest breaks the Bread, the Host, we pray the Lamb of God. We are praying to Jesus who sacrificed his life to save us from sin.

When we receive Holy Communion, we receive the Body and Blood of Christ.

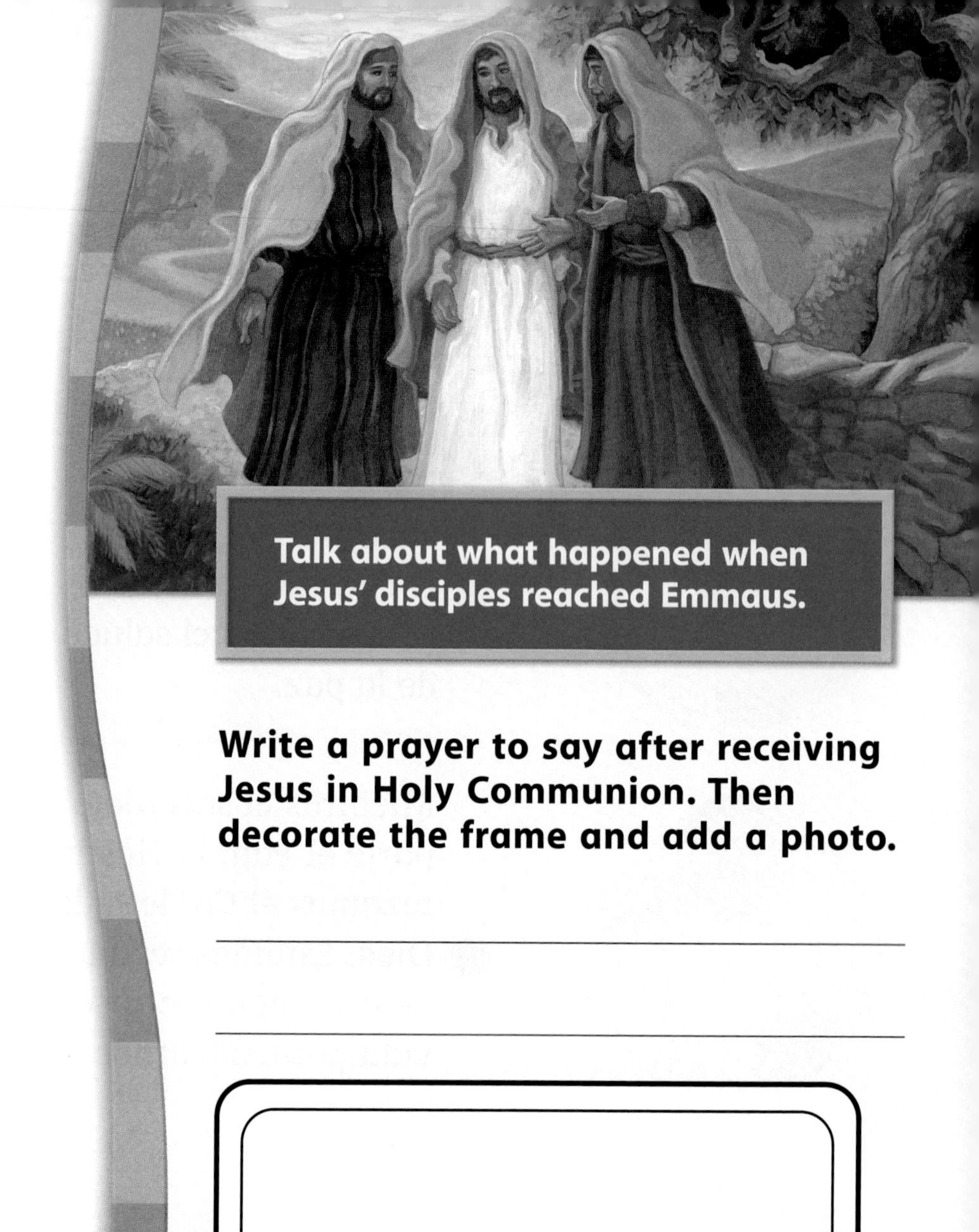

Talk about what happened when Jesus' disciples reached Emmaus.

Write a prayer to say after receiving Jesus in Holy Communion. Then decorate the frame and add a photo.

Compartimos nuestra fe

Mira las fotos y las afirmaciones y aparéalas. Usalas para decir a tu familia lo que aprendiste en este capítulo.

Durante el Rito de Conclusión el sacerdote nos bendice.

El sacerdote o el diácono nos envía a compartir el amor de Dios con otros. Cantamos un himno al salir de la iglesia.

La comunión nos fortalece para ser discípulos de Jesús.

Habla sobre lo que Jesús pidió a sus discípulos hacer, antes de ir al cielo con su Padre.

Usa las letras de la palabra "paz" para decirnos como puedes compartir el amor y la paz de Dios con otros. Una fue contestada.

P e r d ó n

A

Z

Sharing Our Faith

Look at the pictures and statements below. Match them. Use each match to tell your family what you learned in this chapter.

During the Concluding Rites the priest gives us a blessing.

The priest or deacon sends us out to share God's love with others. We sing a song as we leave the church.

When we receive Holy Communion we become stronger disciples of Jesus.

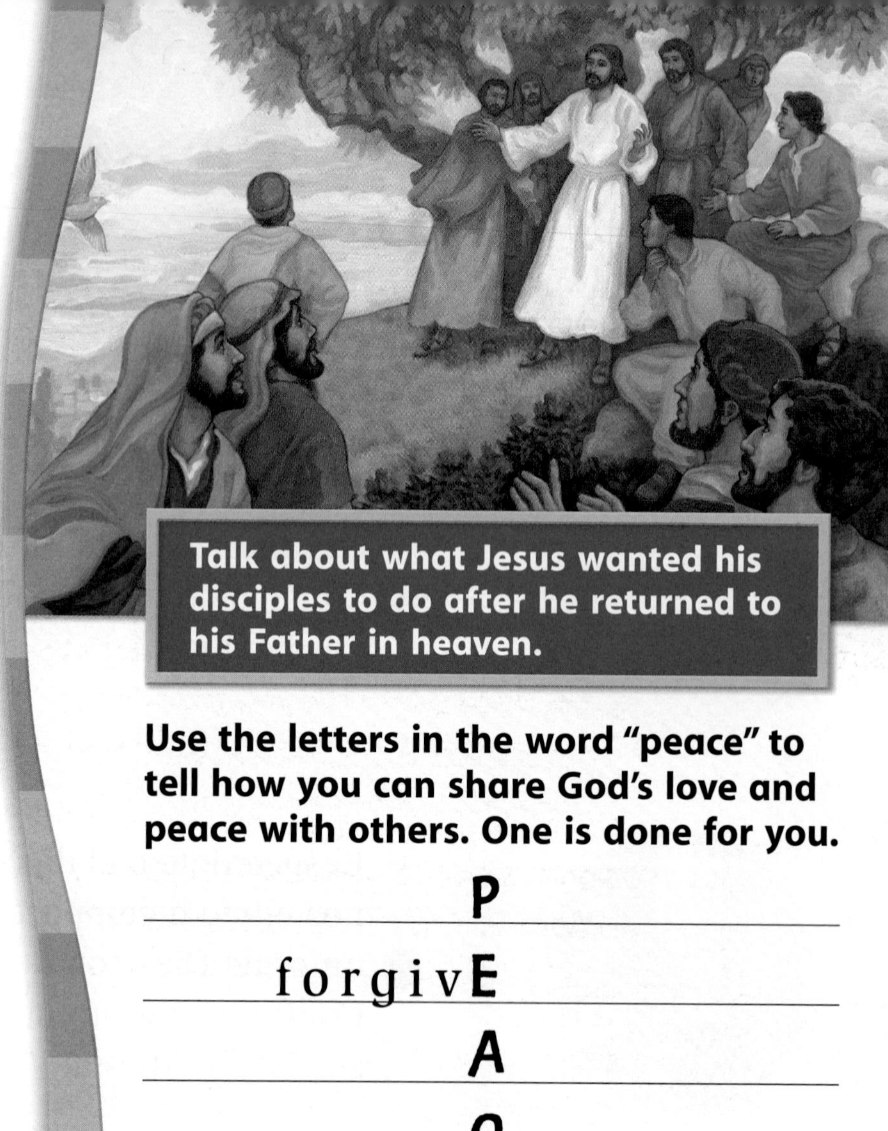

Talk about what Jesus wanted his disciples to do after he returned to his Father in heaven.

Use the letters in the word "peace" to tell how you can share God's love and peace with others. One is done for you.

P

forgivE

A

C

E